Principaux collaborateurs

Rédaction:

Corri H. van Donselaar

Traduction:

Marylène Huygen

Conseiller culinaire:

G. Servais

Production française:

André Winandy

Lydie Dergent

Jacques Schillings

Jozef Weyn

La cuisine orientale

Table des matières

La cuisine orientale

Les goûts et les habitudes culinaires varient fortement d'un peuple à l'autre. Ce qu'un Oriental considère comme un délice peut parfois déplaire à un Occidental. Et pourtant, de plus en plus de personnes apprécient la cuisine orientale. Ce qui autrefois semblait presque inaccessible - seuls des missionnaires, des explorateurs et des aventuriers se rendaient dans ces pays - est maintenant à la portée de tout le monde. Les voyages vers les pays lointains ne sont plus exceptionnels et la télévision nous montre régulièrement des merveilles exotiques.

Nous connaissons donc de mieux en mieux les pays orientaux, leurs peuples, leurs coutumes et... leur cuisine. Des centaines de millions de personnes qui habitent des contrées différentes, qui parlent d'autres langues, qui ont des coutumes et un mode de vie tout autres, apprécient sans réserve la cuisine orientale. Il va de soi que les Japonais et les Iraniens, les Turcs et les Arabes ne mangent pas de la même façon. Leurs cuisines se distinguent encore plus que ne le font en Europe, celles des nomades lapons et des bergers espagnols.

Une variété gastronomique tout à fait étonnante! Vous remarquerez vite que «La cuisine orientale» regroupe des recettes fondamentalement différentes.

Nous avons réuni pour vous dans cet ouvrage un choix de recettes orientales qui ne heurtent pas les goûts des Occidentaux. Les épices orientales, que l'on trouve couramment aujourd'hui dans nos magasins, permettent à tout un chacun de s'initier à la cuisine de ces pays lointains et enchanteurs.

Les entrées

Œufs turcs au yaourt
Salade de thon à l'orientale
Börekler
Mandarines farcies à l'orientale
Oranges farcies à la thaïlandaise
Poivrons farcis
Crêpes farcies libanaises
Pirojki au fromage blanc
Pirojki au poulet
Croquettes au fromage turques
Crêpes au poulet
Omelette japonaise
Omelette aux gambas
Agneau grillé au yaourt
Kebab de bœuf

Œufs turcs au yaourt

Préparation: 15 minutes

Ingrédients pour 4 personnes:
½ l de yaourt
1 cuillerée à soupe de jus de citron
1 gousse d'ail pressée
½ cuillerée à café de menthe en poudre
2 cuillerées à soupe de vinaigre, sel
4 œufs très frais
40 g de beurre
1 cuillerée à café de paprika en poudre

Principaux ustensiles de cuisine:
mixeur, presse-ail, louche, écumoire, ciseaux

Préparation:
Battez le yaourt avec la moitié du jus de citron, l'ail et un peu de menthe en poudre en un mélange bien lisse. Mettez cette sauce dans un plat. Versez 1 l d'eau, le vinaigre et 1 cuillerée à soupe de sel dans une grande casserole et portez le tout à ébullition. Cassez un œuf dans la louche. Laissez frémir l'eau et glissez prudemment l'œuf à la surface de l'eau. Entourez bien le jaune avec les filaments de blanc d'œuf qui se forment à la surface de l'eau. Laissez pocher les œufs pendant 4 à 5 minutes.

Sortez-les de l'eau avec une écumoire. Laissez-les égoutter et coupez les morceaux de blanc d'œuf qui dépassent avec des ciseaux.
Déposez les œufs dans la sauce au yaourt. Entre-temps, faites fondre le beurre et ajoutez-y le reste du jus de citron, un peu de sel et le paprika.
Versez le beurre fondu sur les œufs et décorez avec le reste de la menthe en poudre.

Œufs turcs au yaourt
Ces œufs pochés, servis dans une sauce au yaourt froide, constituent une entrée ou un repas léger très agréable.

Salade de thon à l'orientale

Préparation: 30 à 45 minutes

Ingrédients pour 4 personnes:
1 boîte de thon à l'huile (220 g)
1 oignon moyen pelé
4 tomates moyennes pelées
2 gros ou 3 petits poivrons verts
3 cuillerées à soupe de vinaigre
sel
4 cuillerées à soupe d'huile
100 g d'emmental
50 g d'olives vertes
feuilles de menthe fraîches ou séchées

Principaux ustensiles de cuisine:
tamis, couteau bien tranchant, mixeur

Préparation:
Laissez égoutter le thon dans un tamis. Coupez les oignons et les tomates en fines tranches. Plongez les rondelles d'oignon dans de l'eau froide. Epépinez les rondelles de tomate. Lavez et séchez les poivrons. Retirez-en le pédoncule et les graines et coupez-les en fines lanières. Battez l'huile, le vinaigre et le sel. Laissez macérer les tomates et les poivrons dans ce mélange.
A l'aide de deux fourchettes, réduisez le thon en morceaux et retirez-en les peaux et arêtes. Ajoutez le poisson aux légumes.
Sortez les rouelles d'oignon de l'eau et laissez-les égoutter dans le tamis.
Coupez le fromage en bâtonnets et ajoutez-les à la salade, ainsi que les rondelles d'oignon. Garnissez d'olives et de feuilles de menthe.

Salade de thon à l'orientale
Les feuilles de menthe confèrent un arôme tout à fait particulier à cette salade.

Börekler

Préparation: 40 minutes
Cuisson au four: 15 à 20 minutes

Ingrédients pour 8 à 12 personnes:
250 g de farine, 2 œufs, 1 pot de yaourt
1 sachet de poudre levante, sel
125 g de fromage blanc maigre
5 cuillerées à soupe de lait
4 cuillerées à soupe d'huile d'olive
beurre pour la plaque du four

Principaux ustensiles de cuisine:
tamis, mixeur, rouleau à pâtisserie, pinceau à badigeonner, four (190 °C), emporte-pièce d'un diamètre de 7 à 8 cm, ciseaux

Börekler
Ces pâtes feuilletées garnies de fromage sont une spécialité de la cuisine turque.

Préparation:
Tamisez la farine avec la poudre levante et le sel. Pressez le fromage blanc à travers le tamis au-dessus de ce mélange. Battez un œuf avec le lait et réservez 3 cuillerées à soupe de ce mélange. Ajoutez l'huile au reste et incorporez-le dans la farine. Travaillez rapidement tous ces ingrédients en une pâte souple.

Beurrez la plaque du four et préchauffez celui-ci. Formez une boule avec la pâte pétrie. Farinez la table de travail et étendez-y la pâte en une abaisse de ½ cm d'épaisseur. Farinez l'emporte-pièce et découpez des ronds de pâte accolés deux par deux.

Cassez le second œuf. Battez le jaune avec le yaourt et salez à volonté. Déposez 1 cuillerée de cette préparation au milieu d'un rond de pâte sur deux. Répétez cette opération pour chaque paire.

Enduisez les bords de blanc d'œuf et couvrez du rond de pâte vide. Disposez tous les chaussons sur la plaque.

Enduisez-en le côté supérieur avec le mélange d'œuf et de lait réservé, et glissez la plaque au milieu du four.

Mandarines farcies à l'orientale

Préparation: 35 minutes
Temps de réfrigération: 30 minutes

Ingrédients pour 4 personnes:
4 grosses mandarines, 1 poivron vert
4 cuillerées à soupe de céleri-rave râpé à l'aigre-doux
1 petit oignon finement émincé
3 cuillerées à soupe de mayonnaise
une bonne pincée de curry
1 cuillerée à soupe de chutney
2 ½ cuillerées à soupe de fécule de pomme de terre
2 dl de jus d'oranges ou de mandarines

Préparation:
Lavez et séchez les mandarines. Coupez-les dans le sens de la largeur, 1 à 2 cm au-dessus de leur milieu. Retirez la pulpe sans endommager la peau et mettez les mandarines évidées au réfrigérateur.
Pressez la pulpe à travers le tamis. Lavez et séchez le poivron, retirez-en les graines et les grosses côtes et émincez-le.
Laissez égoutter le céleri râpé et ajoutez-le au poivron ainsi que l'oignon. Mélangez la mayonnaise, le curry et le chutney.
Délayez la fécule de pomme de terre dans le jus. Ajoutez-y la pulpe de mandarines passée au tamis, portez le tout à ébullition. Prolongez la cuisson pendant quelques instants puis laissez refroidir.

Répartissez la mayonnaise dans les mandarines évidées, recouvrez-la avec le mélange au céleri et nappez de la sauce aux fruits.
Servez bien frais.

Oranges farcies à la thaïlandaise

Préparation: 30 minutes
Cuisson au four: 8 à 12 minutes

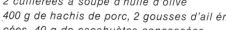

Ingrédients pour 4 personnes:
4 grosses oranges mûres
2 cuillerées à soupe d'huile d'olive
400 g de hachis de porc, 2 gousses d'ail émincées, 40 g de cacahuètes concassées
une pincée de coriandre en poudre
½ cuillerée à café de paprika en poudre
2 cuillerées à café de beurre d'anchois
le jus de 2 ou 3 oranges, sel

Principaux ustensiles de cuisine:
plat à four, four (200 °C)

Préparation:
Nettoyez bien les oranges et séchez-les. Incisez-les de façon à ce que chaque orange soit partagée en 4 segments attachés en leur base. Retirez délicatement le cœur du fruit et, éventuellement, les pépins. Ecartez les segments en veillant à ce que le plus de jus possible reste dans les oranges. Faites chauffer l'huile, faites-y revenir l'ail, ajoutez le hachis, les cacahuètes, la coriandre, le paprika et le beurre d'anchois; laissez cuire en remuant constamment pour que le hachis reste grumeleux. Salez à volonté et ajoutez suffisamment de jus d'oranges pour que la viande n'attache pas à la poêle. Beurrez un plat à four. Préchauffez le four et glissez la grille un peu au-dessus du milieu.
Ajoutez de temps à autre un peu de jus d'orange à la préparation à base de viande. Laissez cuire à feu doux pendant environ 15 minutes. Remplissez les oranges du mélange au hachis. Disposez-les dans le plat à four et glissez celui-ci dans le four préchauffé. Servez dès que les oranges sont chaudes.

Oranges farcies à la thaïlandaise
Dans leur pays d'origine, ces oranges farcies portent un bien joli nom: chevaux au galop!

Poivrons farcis

Préparation: 40 minutes
Cuisson au four: 15 à 20 minutes

Ingrédients pour 4 à 8 personnes:
2 gros poivrons rouges et 2 gros poivrons verts
4 cuillerées à soupe d'huile d'olive
1 oignon moyen grossièrement haché
4 œufs durs
2 tranches de pain bis écroûtées
2 cuillerées à soupe de persil haché

Poivrons farcis
Cette entrée se cuit au four ou sous le gril.

300 g de poulet ou de mouton cuit, coupé en petits dés
poivre
sel
1 cuillerée à soupe de jus de citron
200 g de tomates pelées ou 4 cuillerées à soupe de purée de tomates

Principaux ustensiles de cuisine:
tamis, plat à four, mixeur avec gobelet mélangeur, four (260 °C)

Préparation:
Coupez les poivrons en deux dans le sens de la longueur, retirez-en le pédoncule, les graines et les côtes, et lavez-les.
Mettez-les dans une quantité d'eau bouillante suffisante pour qu'ils soient immergés à moitié. Couvrez la casserole et laissez cuire pendant 3 minutes.
Laissez égoutter les poivrons dans un tamis.
Faites chauffer 2 cuillerées à soupe d'huile et faites-y fondre l'oignon.
Ecalez les œufs, écrasez-les à la fourchette ou passez-les au mixeur.
Emiettez le pain dans une terrine. Ajoutez-y l'oignon, les œufs et la viande, et travaillez le tout à la fourchette. Incorporez-y l'huile, dans laquelle l'oignon a cuit, et le persil. Salez et poivrez à volonté.
Rendez le mélange plus onctueux en y ajoutant le jus de citron et un peu d'eau. Remplissez les demi-poivrons avec cette préparation.
Badigeonnez le plat à four d'huile. Disposez-y les demi-poivrons farcis.
Préchauffez le four et glissez la grille au milieu de celui-ci.

Emincez les tomates, réduisez-les en purée avec le mixeur et tamisez-les.
Si vous utilisez de la purée de tomates en conserve, allongez-la avec 4 cuillerées à soupe d'eau.
Versez la purée de tomates autour des demi-poivrons et laissez cuire et gratiner au four ou sous le gril.

Crêpes farcies libanaises
*Ces petites crêpes farcies se servent
chaudes ou froides.*

Crêpes farcies libanaises

Préparation: 50 minutes
Cuisson au four:
20 à 25 minutes

Ingrédients pour 6 à 8 personnes:
120 g de farine, 100 g de farine de maïs
1 cuillerée à café de poudre levante
2 cuillerées à soupe d'huile d'olive, sel
100 g de beurre, poivre
1 oignon moyen haché, 2 œufs
200 g de hachis de veau ou d'agneau
2 cuillerées à soupe d'amandes effilées
2 cuillerées à soupe de persil haché menu
4 à 6 cuillerées à soupe de jus de citron
beurre pour la lèchefrite

Principaux ustensiles de cuisine:
rouleau à pâtisserie, roulette à pâte, pinceau à
badigeonner, lèchefrite ou plaque avec bords,
four (200 °C)

Préparation:
Versez la farine, la farine de maïs et la poudre
levante dans une terrine. Ajoutez-y un œuf,
l'huile et le sel, et travaillez rapidement le tout
en une pâte souple, en y incorporant éventuellement quelques cuillerées à soupe d'eau.
Formez-en une boule et mettez-la au
réfrigérateur.
Faites chauffer 30 g de beurre et faites-y revenir l'oignon. Ajoutez-y le hachis, les amandes
et le persil; salez et poivrez à volonté. Mettez
cette préparation au réfrigérateur.
Saupoudrez légèrement la table de travail de
farine. Abaissez la pâte en un rectangle de
⅓ cm d'épaisseur et découpez-y des carrés de
10 à 12 cm de côté.

Beurrez la lèchefrite et préchauffez le four.
Battez le second œuf.
Ajoutez suffisamment de jus de citron au
hachis pour le rendre onctueux. Disposez un
peu de hachis sur une moitié des carrés de pâte.
Enduisez les bords d'œuf, pliez les carrés en
deux et pressez fermement les bords.
Posez les rectangles de pâte ainsi obtenus sur
la lèchefrite. Faites fondre le reste du beurre,
versez-le sur les rectangles de pâte et glissez la
lèchefrite un peu au-dessus du milieu du four
jusqu'à ce que les crêpes soient bien dorées.

Pirojki au fromage blanc

Préparation: 50 minutes
Cuisson au four:
20 à 25 minutes

verre de 10 cm de diamètre, pinceau à badigeonner, lèchefrite ou plaque avec bords, four (200 °C)

Ingrédients pour 6 à 8 personnes:
140 g de farine
100 g de fécule de maïs
1 cuillerée à soupe de poudre levante
2 œufs
2 cuillerées à soupe d'huile d'olive
sel, poivre
90 g de beurre
1 ½ dl de lait
200 g de fromage frais (cottage cheese ou Hüttenkäse)
3 cuillerées à soupe de persil haché menu

Principaux ustensiles de cuisine:
mixeur, rouleau à pâtisserie, emporte-pièce ou

Pirojki au fromage blanc
Ces crêpes farcies de fromage frais assaisonné de persil constituent une excellente entrée végétarienne.

Préparation:
Versez 120 g de farine, la fécule de maïs et la poudre levante dans une terrine. Ajoutez-y un œuf, l'huile et le sel; travaillez rapidement le tout en une pâte souple en y introduisant éventuellement quelques cuillerées à soupe d'eau froide. Formez une boule de pâte et mettez-la au réfrigérateur.
Faites fondre 20 g de beurre et ajoutez-y, en tournant, 20 g de farine et le lait. Continuez à tourner dans la préparation jusqu'à obtention d'une sauce lisse. Laissez-la cuire quelques minutes puis retirez-la de la cuisinière et laissez-la refroidir, tout en continuant à tourner.

Battez le fromage frais jusqu'à ce qu'il devienne crémeux, incorporez-y peu à peu la sauce béchamel et le persil. Relevez à volonté de sel et de poivre.

Mettez ce mélange au réfrigérateur.

Farinez légèrement la table de travail. Abaissez la pâte jusqu'à une épaisseur de ⅓ cm. Découpez des ronds de pâte; trempez chaque fois l'emporte-pièce au préalable dans la farine. Répartissez le mélange au fromage sur une moitié de ces ronds de pâte. Préchauffez le four. Beurrez le plat à four ou la lèchefrite. Battez le second œuf.

Badigeonnez-en les bords des ronds de pâte puis pliez-les en deux et appuyez fermement sur les soudures. Disposez-les dans le plat à four. Faites fondre le reste du beurre et arrosez-en les pirojki. Glissez le plat un peu au-dessus du milieu du four et laissez-y cuire et dorer les pirojki.

Pirojki au poulet

Préparation: 50 minutes
Cuisson au four:
20 à 25 minutes

Ingrédients pour 4 à 6 personnes:
85 g de beurre
sel, poivre
145 g de farine
2 œufs, 1 ½ dl de lait
200 g de petits dés de poulet cuit
2 cuillerées à soupe de persil haché menu

Principaux ustensiles de cuisine:
mixeur, rouleau à pâtisserie, emporte-pièce ou verre de 10 cm de diamètre, pinceau à badigeonner, lèchefrite ou plaque avec bords, four (200 °C)

Préparation:
Faites chauffer doucement 1 ¼ dl d'eau avec 15 g de beurre et du sel. Dès que l'eau commence à bouillir, ajoutez-y 125 g de farine et tournez dans la pâte jusqu'à ce qu'elle forme une boule et se détache du fond de la casserole. Retirez celle-ci de la source de chaleur; continuez à tourner dans la pâte pour la refroidir, puis incorporez-y un œuf.

Mettez-la dans un plat, couvrez celle-ci et placez le tout au réfrigérateur.

Faites fondre 20 g de beurre, ajoutez-y 20 g de farine en tournant, puis le lait, petit à petit, et continuez à tourner jusqu'à obtention d'une sauce lisse. Ajoutez-y le poulet et le persil, salez et poivrez à volonté.

Farinez la table de travail, abaissez la pâte, découpez des ronds de pâte et farcissez-les comme indiqué pour les pirojki au fromage. Servez ces pirojki au poulet comme entrée. Ils peuvent aussi constituer un excellent repas léger.

Croquettes au fromage turques

Préparation: 50 minutes
Temps de repos: 1 heure

Ingrédients pour 6 à 8 personnes:
290 g de farine
1 jaune d'œuf
3 cuillerées à soupe d'huile d'olive
sel
50 g de beurre
4 dl de lait tiède
150 g de gruyère râpé
poivre
2 œufs
chapelure

Principaux ustensiles de cuisine:
tamis, mixeur-pétrisseur, emporte-pièce de 8 cm de diamètre, friteuse (190 °C)

Préparation:
Tamisez 250 g de farine dans un grand plat. Creusez-y un puits et versez-y le jaune d'œuf avec l'huile et le sel. Mélangez tous ces ingrédients en commençant par le centre. Ajoutez-y quelques cuillerées à soupe d'eau froide et pétrissez rapidement le tout en une pâte souple. Couvrez le plat et laissez reposer la pâte dans un endroit tiède.

Faites fondre 50 g de beurre. Ajoutez-y en tournant 40 g de farine puis, petit à petit, le lait. Incorporez le fromage à la sauce. Goûtez-la et rectifiez-en éventuellement l'assaisonnement.

Farinez la table de travail et abaissez-y la pâte jusqu'à ⅓ cm d'épaisseur. Découpez-y des ronds en trempant chaque fois l'emporte-pièce au préalable dans la farine.

Battez les œufs. Répartissez la sauce au fromage sur une moitié des ronds de pâte. Enduisez les bords d'œuf, pliez les ronds de pâte en deux et appuyez fortement sur les bords.

Faites chauffer la friture.

Passez les croissants de pâte dans l'œuf battu puis dans la chapelure et faites-les cuire et dorer dans la friture.

Croquettes au fromage turques
Ces croquettes turques se servent généralement en hors-d'œuvre mais ils seront également les bienvenus à d'autres moments de la journée.

Crêpes au poulet
Ce mets doit être servi aussi chaud
que possible.

Crêpes au poulet

Préparation: 50 minutes
Temps de repos: 1 heure

Ingrédients pour 4 personnes:
250 g de farine, 1 jaune d'œuf, huile de maïs
3 cuillerées à soupe d'huile d'olive
3 grosses pommes de terre, 1 oignon grossièrement haché, 2 œufs durs écrasés
4 cuillerées à soupe de persil haché
750 g de poulet, 1 œuf, poivre, sel

Principaux ustensiles de cuisine:
moulin à viande ou mixeur, rouleau à
pâtisserie

Préparation:
Préparez une pâte comme décrit dans la recette
précédente avec la farine, le jaune d'œuf,

l'huile, le sel et de l'eau. Laissez reposer cette
pâte.
Lavez et épluchez les pommes de terre et faites-
les cuire à feu doux dans 3 dl d'eau avec l'oignon, le persil, le poulet et du sel. Egouttez ces
ingrédients et réduisez-les en purée.
Battez l'œuf et réservez 3 cuillerées à soupe
d'œuf battu. Salez et poivrez l'œuf et
incorporez-le, avec les œufs durs écrasés, à la
purée. Mettez le tout au réfrigérateur.
Farinez la table de travail. Partagez la pâte en
4 et abaissez ces morceaux de pâte en ronds de
15 cm de diamètre. Répartissez la préparation
au poulet sur ces ronds de pâte. Badigeonnez
les bords d'œuf battu. Repliez-les en deux et
faites bien adhérer les soudures.
Faites chauffer l'huile et faites-y cuire et dorer
les crêpes.
Servez aussi chaud que possible.

Omelette japonaise

Préparation: 40 minutes

Ingrédients pour 4 à 8 personnes:
300 g de viande de porc maigre
3 cuillerées à soupe de sauce de soja
200 g de champignons frais
1 cuillerée à soupe de jus de citron
1 gros oignon haché
4 cuillerées à soupe d'huile de soja
6 œufs
poivre
sel

Principaux ustensiles de cuisine:
couteau, tamis, mixeur, grande poêle, couvercle sans bord plus grand que la poêle

Préparation:
Découpez la viande en tranches très fines. Mettez les tranches de viande dans un plat, arrosez-les de la sauce de soja et laissez mariner.

Entre-temps, lavez les champignons, enlevez les parties dures ou tachées et coupez-les en tranches fines, dans le sens de la longueur. Arrosez de jus de citron.

Laissez égoutter la viande dans un tamis. Faites chauffer l'huile dans une grande poêle. Faites-y cuire la viande en la retournant régulièrement. Ajoutez l'oignon haché et lorsqu'il est bien cuit, les champignons. Laissez cuire tous ces ingrédients à feu doux, en les remuant régulièrement.

Battez les œufs avec la sauce de soja dans laquelle la viande a mariné et 3 cuillerées à soupe d'eau ou de lait. Rectifiez éventuellement l'assaisonnement. Versez le tout dans la poêle. Veillez à ce que l'omelette soit bien ronde et uniformément cuite. Secouez de temps à autre la poêle pour que l'omelette n'attache pas au fond.
Vérifiez si le fond est bien doré en soulevant légèrement l'omelette. Enduisez le couvercle d'un peu d'huile et posez-le sur la poêle. Retournez le tout, puis faites glisser l'omelette du couvercle dans la poêle et laissez bien dorer le deuxième côté.
Faites glisser l'omelette sur un plat préchauffé et légèrement huilé et servez.

Omelette japonaise
Cette délicieuse entrée peut également être servie comme plat unique au déjeuner.

Omelette aux gambas

Préparation: 40 minutes

Ingrédients pour 4 à 8 personnes:
20 gambas fraîches ou surgelées
20 moules fraîches
6 œufs
3 cuillerées à soupe de lait
1 cuillerée à soupe de persil haché
sauce de soja
sel
4 cuillerées à soupe d'huile d'olive

Principaux ustensiles de cuisine:
mixeur, grande poêle, couvercle sans bord plus grand que la poêle

Préparation:
Lavez les gambas et les moules à l'eau courante. Faites cuire les gambas pendant 7 minutes dans une grande quantité d'eau salée. Enlevez les byssus des moules et faites-les cuire pendant 5 minutes dans une dizaine de cm d'eau. Décortiquez les gambas. Sortez les moules de leur coquille et jetez celles qui ne sont pas ouvertes. Coupez les moules et les crevettes en morceaux. Battez les œufs avec le lait, le persil, la sauce de soja et salez à volonté.
Faites chauffer l'huile dans la poêle. Versez-y le mélange aux œufs et répartissez-y les moules et les crevettes. Laissez prendre l'omelette, puis soulevez les bords déjà pris pour que l'œuf encore liquide coule dans le fond de la poêle. Secouez de temps en temps la poêle pour éviter que l'omelette attache au fond. Vérifiez si le dessous est bien doré. Couvrez la poêle avec un couvercle huilé, retournez le tout, puis faites glisser l'omelette retournée du couvercle dans la poêle. Faites dorer l'autre côté. Faites glisser l'omelette cuite sur un plat de service préchauffé et légèrement huilé. Servez comme hors-d'œuvre ou comme plat de résistance, avec des pommes de terre sautées et une salade.

Agneau grillé au yaourt

Préparation: 55 minutes
Temps de repos: 10 à 12 heures

Ingrédients pour 4 personnes:
500 g de gigot d'agneau
1 oignon coupé en rouelles
3 cuillerées à soupe d'huile d'olive
poivre
sel
grosses tranches de pain bis
2 pots de yaourt
100 g de beurre fondu

Principaux ustensiles de cuisine:
4 brochettes métalliques, gril ou barbecue

Préparation:
Coupez la viande en gros dés. Laissez-les mariner avec les oignons, l'huile, le poivre et le sel dans un récipient couvert, pendant 10 à 12 heures.
Piquez alternativement un morceau de viande et un morceau d'oignon sur les brochettes; laissez-les cuire et dorer sur le gril, ou le barbecue, pendant 5 à 8 minutes, en les tournant régulièrement.
Accompagnez les brochettes de morceaux de pain bis, de yaourt et de beurre fondu, dont les convives se serviront à volonté.

Kebab de bœuf

Préparation: 55 minutes
Temps de repos: 1 à 2 heures

Ingrédients pour 4 personnes:
600 g de filet de bœuf
250 g de lard gras
3 gros oignons
3 cuillerées à soupe de persil haché menu
poivre du moulin
6 cuillerées à soupe de citron, sel

Principaux ustensiles de cuisine:
4 brochettes métalliques, barbecue ou gril

Préparation:
Coupez la viande en gros dés, et les oignons et le lard en tranches.
Mettez la viande, le lard, les oignons et le persil dans un plat profond. Saupoudrez de poivre et arrosez de jus de citron. Laissez macérer dans le plat, que vous aurez couvert, pendant 1 à 2 heures.

Piquez alternativement un morceau de viande, de lard et d'oignon sur les brochettes. Faites lentement griller la viande en retournant régulièrement les brochettes.
Salez avant de servir.

Kebab de bœuf
Ces brochettes cuites au barbecue se composent de viande de bœuf, d'oignon et de lard gras.

Les potages

Potage à la marjolaine

Préparation: 1 à 2 heures

Ingrédients pour 4 à 6 personnes:
½ boîte de haricots blancs ou rouges
3 pommes de terre, 3 oignons hachés
2 gousses d'ail, poivre, sel
2 cuillerées à soupe d'huile
½ boîte de petits pois
½ boîte de haricots verts
1 petite boîte de champignons émincés
50 g de vermicelles (ou petites lettres)
3 cuillerées à soupe de marjolaine fraîche ou
½ cuillerée à café de marjolaine séchée
6 cubes de bouillon
150 g de gouda vieux ou de parmeşan râpé

Principaux ustensiles de cuisine:
casserole d'une contenance de 3 ½ l au moins,
mixeur ou mortier avec pilon

Préparation:
Faites cuire les haricots dans 1 l d'eau bouillante. Réservez le jus.

Epluchez les pommes de terre. Coupez-les en
morceaux et faites-les cuire avec les oignons et
les haricots.

Entre-temps, faites chauffer l'huile, nettoyez
les gousses d'ail et hachez-les.
Faites lentement dorer l'ail et ajoutez-le aux
haricots et aux pommes de terre.
Vérifiez-en la cuisson, réduisez-les en purée
avec le mixeur ou le pilon.
Ajoutez les petits pois dans la casserole ainsi
que le jus des haricots verts.
Coupez les haricots en petits morceaux et
ajoutez-les à la préparation, de même que les
champignons.
Incorporez-y les vermicelles et la marjolaine.
Allongez avec 3 l d'eau et ajoutez les cubes de
bouillon.
Laissez cuire le tout à feu doux jusqu'à ce que
les vermicelles soient à point.

Goûtez le potage et rectifiez-en éventuellement
l'assaisonnement.
Saupoudrez de fromage râpé ou servez le fromage à part, dans un petit ravier.

Potage à la marjolaine
*Un plat complet, riche en substances
nutritives.*

Potage aux champignons

Préparation: 30 minutes

Ingrédients pour 4 personnes:
2 cuillerées à soupe d'huile d'olive
½ oignon haché, 1 poivron rouge haché
200 g de champignons émincés
1 gousse d'ail pressée
1 petite boîte (env. 70 g) de purée de tomates
2 pommes de terre moyennes
3 cubes de bouillon
1 cuillerée à soupe de paprika, poivre
crème fraîche
2 cuillerées à soupe de persil haché

Principaux ustensiles de cuisine:
casserole d'une contenance de 2 l, râpe,
presse-ail

Préparation:
Faites chauffer l'huile dans la casserole et
faites-y revenir l'oignon. Ajoutez-y le poivron,
les champignons, l'ail et la purée de tomates.
Portez à ébullition en tournant continuellement et versez 1 ½ l d'eau bouillante dans la
casserole. Laissez cuire à feu doux. Epluchez
et lavez les pommes de terre; râpez-les grossièrement. Mélangez le contenu de la casserole et
incorporez-y les pommes de terre râpées et les
cubes de bouillon. Mélangez le poivre, le
paprika et la crème et liez le potage avec ce
mélange. Saupoudrez de persil.

Potage à l'ail
Epluchez 20 gousses d'ail et écrasez-les légèrement. Laissez-les infuser pendant 15 minutes
dans ½ l d'eau bouillante. Retirez-les de la
casserole et pressez-les à travers un tamis.
Ajoutez 1 l d'eau et mettez-y l'ail réduit en
purée. Incorporez 40 g de flocons d'avoine
précuits et les cubes de bouillon à la préparation et laissez cuire jusqu'à ce que les flocons
d'avoine soient à point et la soupe bien liée.
Battez 1 œuf avec 4 cuillerées à soupe de lait
concentré. Ajoutez-y quelques cuillerées de
potage puis incorporez ce mélange au potage.
Salez et poivrez selon le goût.

Potage japonais aux épinards
Ce délicieux potage végétarien est prêt en un tournemain.

Potage japonais aux épinards

Préparation: 20 minutes

Ingrédients pour 4 personnes:
1 kg d'épinards frais ou 300 g d'épinards surgelés
2 échalotes ou 1 oignon moyen
2 cubes de bouillon
4 cuillerées à soupe de riz
2 gros œufs
1 cuuillerée à soupe de sauce de soja

2 cuillerées à soupe de fécule de pomme de terre
poivre, sel
jus de citron

Principaux ustensiles de cuisine:
couteau ou râpe, mixeur

Préparation:
Lavez soigneusement les épinards ou, le cas échéant, laissez-les dégeler. Coupez les feuilles en gros morceaux et mettez-les dans une casse-

role. Arrosez de 8 dl d'eau bouillante. Eplu-chez les échalotes ou l'oignon, coupez-les en très fines tranches ou râpez-les grossièrement. Ajoutez-les aux épinards, ainsi que les cubes de bouillon.

Battez les œufs. Délayez la fécule de pomme de terre dans quelques cuillerées à soupe d'eau et incorporez-la aux œufs, ainsi que la sauce de soja.

Portez le potage à ébullition. Ajoutez-y, en tournant, le mélange aux œufs. Laissez repren-dre l'ébullition, puis retirez la casserole de la cuisinière. Relevez à volonté de sel, de poivre, et de jus de citron.

Potage japonais aux épinards
Quelques phases de la préparation. De gauche à droite et de haut en bas: Mettez les épinards, grossièrement hachés, dans une casserole. Battez les œufs et ajoutez-y la fécule de pomme de terre, délayée dans un peu d'eau.
Ajoutez la sauce de soja et incorporez le mélange aux œufs au potage.

Potage aux épinards et au fromage

Préparation: 15 minutes

Ingrédients pour 4 personnes:
½ paquet d'épinards surgelés de 300 g
1 cube de bouillon de poule
25 g de farine
3 dl de lait
poivre
sel
gouda vieux ou
parmesan râpé
noix de muscade râpée

Principal ustensile de cuisine:
mixeur

Préparation:
Laissez dégeler les légumes et faites-les cuire dans 5 dl d'eau bouillante. Ajoutez-y le cube de bouillon. Mélangez la farine et le lait au mixeur. Liez le potage avec ce mélange en tournant continuellement dans la préparation. Relevez de poivre du moulin et, éventuelle-ment, de sel.

Accompagnez de fromage et de noix de muscade.

Potage aux pommes de terre
*Vous accompagnerez ce potage aro-
matisé de croûtons.*

Potage aux pommes de terre

Préparation: 30 minutes

Ingrédients pour 4 personnes:
300 g de pommes de terre farineuses
100 g de beurre
2 oignons moyens grossièrement hachés
1 céleri à côtes lavé
½ l de lait
2 cubes de bouillon de poule
4 tranches de pain blanc rassis coupé en dés
1 œuf ou 2 jaunes d'œufs
poivre, sel

Principaux ustensiles de cuisine:
moulinette ou mixeur, poêlon

Préparation:
Lavez et épluchez les pommes de terre, coupez-les en tranches et mettez-les dans de l'eau. Faites fondre 20 g de beurre dans une casserole et faites-y revenir les oignons. Egouttez les pommes de terre et ajoutez-les aux oignons. Coupez le céleri en assez gros morceaux et ajoutez-le dans la casserole, ainsi que le lait et les cubes de bouillon. Laissez cuire le tout à feu doux. Faites fondre le reste du beurre dans un poêlon et faites-y dorer les petits dés de pain en les secouant régulièrement.
Passez le contenu de la casserole à la moulinette ou au mixeur. Ajoutez de l'eau bouillante à cette purée de légumes jusqu'à obtention de 1 l de liquide. Battez l'œuf ou les jaunes d'œufs avec quelques cuillerées à soupe de potage. Incorporez au reste du potage en tournant. Réchauffez sans laisser reprendre l'ébullition et rectifiez éventuellement l'assaisonnement en sel et en poivre.
Ajoutez les croûtons ou servez-les à part.

Potage aux pommes de terre et aux fines herbes

Préparation: 45 minutes

Ingrédients pour 4 personnes:
500 g de pommes de terre farineuses
200 g de poireaux
4 branches de céleri blanc
2 échalotes ou 1 oignon moyen
2 cubes de bouillon végétarien
4 dl de lait
2 dl de yaourt
2 cuillerées à soupe de ciboulette hachée ou
2 cuillerées à soupe de persil haché
ou de céleri haché
poivre, sel

Principal ustensile de cuisine:
tamis ou presse-purée

Préparation:
Epluchez et lavez les pommes de terre. Coupez-les en tranches et mettez-les dans une casserole contenant 2 dl d'eau. Nettoyez les poireaux, le céleri et les échalotes. Coupez les légumes en petits morceaux et ajoutez-les aux pommes de terre, ainsi que 2 dl d'eau bouillante et les cubes de bouillon.
Passez le contenu de la casserole au tamis ou au presse-purée dès que les pommes de terre et les légumes sont cuits. Réchauffez le lait et incorporez-y la purée de légumes. Battez le yaourt avec quelques cuillerées à soupe de potage chaud, puis ajoutez ce mélange au reste du potage. Juste avant de servir, ajoutez-y les fines herbes et rectifiez éventuellement l'assaisonnement.

Potage aux pommes de terre et aux fines herbes
Un potage végétarien nourrissant, d'une saveur particulière.

Potage ottoman

Préparation: 1 heure 15

Principaux ustensiles de cuisine:
presse-purée, casserole de 3 l

Ingrédients pour 4 personnes:
500 g de jarret de veau ou de bœuf
1 oignon grossièrement haché
quelques rondelles de carottes
quelques branches de persil et de céleri
dés de céleri-rave
500 g de hachis de bœuf
120 g de riz
1 œuf battu
noix de muscade
poivre
sel
farine
2 cuillerées à soupe de persil haché

Préparation:
Plongez le jarret dans 2 l d'eau froide et portez-le lentement à ébullition avec l'oignon, les carottes, les fines herbes et le céleri-rave. Mélangez le hachis, le riz et l'œuf; relevez de noix de muscade, de poivre et de sel.
Ajoutez, si nécessaire, un peu d'eau ou de farine à ce mélange et formez-en des boulettes. Passez le bouillon et les légumes au presse-purée.

Faites cuire les boulettes dans ce bouillon. Découpez le jarret en dés, mettez-les dans le potage avec le persil; relevez de poivre et, éventuellement, de sel.

Potage ottoman
Ce savoureux potage turc est très nourrissant.

Potage à la semoule
Un potage à l'accent exotique. La quantité de paprika peut être augmentée ou diminuée à volonté.

Potage à la semoule

 Préparation: 30 minutes

Principal ustensile de cuisine:
presse-ail

Ingrédients pour 4 personnes:
4 cuillerées à soupe d'huile, de préférence d'olive
200 g de veau en morceaux
2 oignons moyens hachés
1 gousse d'ail pressée
1 cuillerée à soupe de ketchup
1 cuillerée à café de paprika
70 g de semoule de blé
1 cuillerée à soupe de câpres
1 citron coupé en fines rondelles
poivre
sel

Préparation:
Faites chauffer l'huile dans une casserole.
Faites-y revenir et brunir les morceaux de veau à feu moyen.
Ajoutez-y les oignons et laissez-les dorer, puis l'ail.
Mélangez le ketchup et le paprika et versez ce mélange dans la casserole.

Arrosez de 1 ¼ l d'eau bouillante. Portez à ébullition et ajoutez la semoule en tournant.
Mettez les câpres et les rondelles de citron dans le potage.
Laissez épaissir en tournant continuellement.
Relevez de poivre et, éventuellement, de sel.

Potage à la poule à l'indienne

Préparation:
1 heure 45 minutes

Ingrédients pour 4 à 8 personnes:
1 poule parée de 700 g environ
1 oignon grossièrement haché
quelques rondelles de carottes
1 sachet d'épices pour poulet
1 feuille de laurier
1 cube de bouillon de poule
40 g de beurre
1 oignon haché
1 cuillerée à soupe de curry
40 g de farine
30 g de fécule de maïs
2 dl de lait
poivre, sel, jus de citron

Principaux ustensiles de cuisine:
casserole d'une contenance de 3 l, tamis

Préparation:
Lavez soigneusement la poule. Portez 2 l d'eau à ébullition, mettez-y la poule, l'oignon, les carottes, les épices, le laurier et le cube de bouillon. Laissez reprendre l'ébullition, diminuez l'intensité de la source de chaleur et laissez cuire à feu doux pendant 1 h à 1 ½ h.
Retirez la poule du bouillon et tamisez celui-ci.
Coupez la poule en morceaux et retirez-en la peau, les os et autres déchets.
Faites chauffer le beurre dans la casserole.
Faites-y dorer l'oignon haché.

Mélangez le curry, la farine, la fécule de maïs et le lait.
Ajoutez ce mélange aux morceaux d'oignon, en tournant continuellement, et allongez avec le bouillon.
Mettez les morceaux de poule dans le potage.
Relevez à volonté de poivre, de sel et de jus de citron.

Potage au poulet à la turque

Préparation: 45 minutes

Ingrédients pour 4 personnes:
500 g de blanc de poulet, 50 g de beurre
2 carottes coupées en fines rondelles
½ piment émincé
½ courgette émincée
5 cuillerées à soupe de farine
1 pot de yaourt ou de crème aigre
4 cornichons à l'aigre-doux émincés
2 jaunes d'œufs
2 cuillerées à soupe de persil haché
poivre
sel

Préparation:
Coupez les plus grands morceaux de poulet en gros dés.
Faites chauffer le beurre et faites-y revenir les carottes, le piment et la courgette.
Ajoutez-y les morceaux de poulet et laissez cuire doucement.
Saupoudrez la farine dans la casserole et arrosez le tout de 1 ½ l d'eau bouillante. Portez le potage ainsi lié à ébullition.
Dans la soupière, battez le yaourt avec les morceaux de cornichons, les jaunes d'œufs et le persil.
Ajoutez-y quelques cuillerées de potage, puis le reste du potage.
Relevez à volonté de sel et de poivre.

Potage à la poule à l'indienne
Quelques phases de la préparation. De gauche à droite: Ajoutez le mélange de curry, de farine, de fécule de maïs et de lait aux oignons. Allongez cette préparation avec le bouillon de poule. Introduisez les morceaux de poule cuite dans le potage.

Potage piquant au poulet

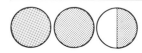

Préparation:
1 heure 30 minutes
Cuisson: 1 heure

Potage à la poule à l'indienne
Un potage lié au curry, agrémenté de morceaux de poule. Cette recette indienne plaira aux personnes qui aiment les potages consistants et relevés.

Ingrédients pour 4 à 8 personnes:
1 poulet nettoyé d'environ 700 g
poivre, sel
80 g de beurre
1 piment
2 oignons finement hachés
2 branches de céleri blanc émincées
3 pommes de terre épluchées, coupées en dés
3 pommes golden épluchées, en dés
2 carottes coupées en fines rondelles
4 cuillerées à soupe de farine
4 cuillerées à soupe de ketchup
1 cuillerée à soupe de jus de citron
4 cuillerées à soupe de lait
1 pain complet

Principal ustensile de cuisine:
casserole d'une contenance de 2 l

Préparation:
Lavez et séchez le poulet. Salez et poivrez l'intérieur et l'extérieur.
Faites chauffer le beurre dans la casserole.

Faites-y dorer le poulet de tous les côtés.
Arrosez de 2 l d'eau bouillante.
Portez de nouveau l'eau à ébullition et ajoutez-y le piment, les oignons, le céleri, les pommes de terre et les carottes.
Laissez cuire à feu doux pendant environ 1 h.

Retirez le poulet et le piment de la casserole.
Découpez le poulet en gros dés et retirez-en la peau, les os et les autres déchets. Remettez le poulet dans la casserole.

Mélangez la farine, le ketchup, le poivre, le jus de citron et le lait. Liez le potage avec ce mélange et rectifiez-en éventuellement l'assaisonnement.

Accompagnez d'épaisses tranches de pain complet.

31

Soupe de poissons arabe

Préparation:
1 heure 30 minutes

Ingrédients pour 4 à 8 personnes:
600 à 750 g de poissons
et, éventuellement, des calmars
5 cuillerées à soupe d'huile d'olive
200 g de pommes de terre épluchées
1 branche de céleri, poivre, sel
2 cuillerées à soupe de persil haché
1 cuillerée à soupe de purée de tomates
2 choux-navets épluchés et râpés
3 tranches de pain blanc rassis coupées en dés

Principaux ustensiles de cuisine:
râpe, passoire, mixeur

Préparation:
Nettoyez soigneusement les poissons et lavez-les. Faites chauffer l'huile dans une casserole. Râpez grossièrement les pommes de terre et mettez-les dans l'huile. Emincez le céleri; ajoutez-le, ainsi que le persil, aux pommes de terre. Laissez mijoter ce mélange à feu doux, en tournant continuellement dans la préparation.

Salez et poivrez, ajoutez la purée de tomates et les choux-navets. Arrosez de 1 ½ l d'eau bouillante, couvrez la casserole et laissez cuire à feu doux pendant ½ heure en tournant de temps à autre dans la préparation.

Mettez les poissons dans la casserole. Laissez reprendre l'ébullition et réduisez l'intensité de la source de chaleur. Prolongez la cuisson jusqu'à ce que les poissons soient cuits, puis sortez-les de la casserole.

Enlevez-en les arêtes et écrasez-les à la fourchette ou passez-les au mixeur. Passez également le bouillon au mixeur pendant 1 minute. Ajoutez le poisson au bouillon et reportez rapidement à ébullition en tournant. Rectifiez l'assaisonnement.

Mettez les morceaux de pain dans la soupe et servez immédiatement.

Soupe de poissons arabe
Une savoureuse soupe de poisson qui, accompagnée de pain bis, constitue un repas complet.

Soupe de crevettes à la siamoise

Préparation: 1 heure

Ingrédients pour 4 à 6 personnes:
1 l de lait
½ l de crème fraîche
225 g de noix de coco râpée
une bonne pincée de piment en poudre
4 gousses d'ail pressées
1 cuillerée à soupe de cassonade
1 cuillerée à café de beurre d'anchois
1 cuillerée à café de sauce de soja
1 cuillerée à café de zeste de citron râpé
une pincée de coriandre en poudre
poivre, sel
250 g de crevettes cuites et décortiquées ou 2 boîtes de crevettes

Principal ustensile de cuisine:
tamis fin

Préparation:
Portez à ébullition, en tournant continuellement, le lait, la crème et la noix de coco. Eteignez la source de chaleur et laissez macérer pendant ½ heure. Tamisez le contenu de la casserole et pressez le maximum de liquide de la noix de coco.

Laissez cuire le mélange laiteux pendant une dizaine de minutes, puis ajoutez-y le piment en poudre, l'ail, le sucre, le beurre d'anchois, la sauce de soja et le citron.

Relevez à volonté avec de la coriandre, du sel et du poivre.

Incorporez les crevettes fraîches dans la soupe. Si vous utilisez des crevettes en conserve, laissez-les bien égoutter, car le liquide gélatineux dans lequel elles baignent est parfois très salé. Versez-les éventuellement dans le tamis et rincez-les à l'eau courante.

Laissez reprendre l'ébullition, vérifiez l'assaisonnement et servez aussi chaud que possible.

Soupe de crevettes express
Préparez une sauce avec deux sachets de sauce instantanée pour poisson, en suivant les indications de l'emballage. Rincez le contenu d'une boîte de crevettes, réchauffez-les dans la sauce et allongez la préparation avec de l'eau bouillante jusqu'à obtention de 1 l de soupe.

Soupe de poissons à l'orientale
Ce potage léger contient beaucoup de légumes.

Soupe de poissons à l'orientale

 Préparation: 40 minutes

Ingrédients pour 4 à 8 personnes:
8 filets de hareng frais
2 oignons nettoyés
½ cuillerée à café de paprika
cubes de bouillon
200 g d'épinards frais
450 g de tomates pelées
poivre, sel

Préparation:
Lavez les filets de hareng et coupez-les en minces lanières.
Coupez les oignons en très fines rondelles.
Portez 1 ½ l d'eau à ébullition et mettez-y les rondelles d'oignon.

Mélangez le paprika avec une petite quantité d'eau et versez ce mélange dans la casserole contenant les oignons; ajoutez en même temps les tablettes de bouillon.
Laissez cuire à feu doux pendant une dizaine de minutes.
Entre-temps, lavez soigneusement les épinards et coupez-les en fines lanières.
Coupez éventuellement les tomates en morceaux et ajoutez-les à la préparation, ainsi que les filets de hareng et les épinards.
Laissez bouillir la soupe pendant 1 minute.
Goûtez-la et relevez-la éventuellement de sel et de poivre.
Servez aussi chaud que possible.
Les filets de hareng peuvent être remplacés par des filets de truite et les épinards par du cresson. Dans ce cas, ne laissez cuire les légumes qu'une minute avec le poisson.

Soupe de poissons cinghalaise

Préparation: 1 heure

Ingrédients pour 4 personnes:
400 g de colin surgelé
sel
2 gousses d'àil pressées
½ feuille de laurier
1 petit morceau de gingembre ou 1 cuillerée à café de gingembre en poudre
1 cuillerée à café de curry
une bonne pincée de poivre de Cayenne
une pincée de cannelle
le jus de 1 citron
75 g de brisures de riz
poivre
2 cuillerées à soupe de persil haché
pain

Principal ustensile de cuisine:
couteau pour surgelés

Préparation:
Ne laissez pas dégeler le poisson.
Coupez-le en dés.
Portez 1 l d'eau à ébullition, salez-la et mettez-y le poisson.
Laissez reprendre l'ébullition et réduisez l'intensité de la source de chaleur.

Ajoutez l'ail et le laurier au poisson. Râpez le gingembre.

Délayez la poudre de gingembre, ainsi que le curry, le poivre de Cayenne et la cannelle dans un peu d'eau.
Incorporez cette préparation au contenu de la casserole.
Relevez de jus de citron.
Lavez le riz et mettez-le dans la casserole avec le poisson et les épices.
Laissez cuire le riz.
Retirez la feuille de laurier, goûtez la soupe et rectifiez éventuellement l'assaisonnement avec du poivre et du sel.
Laissez bouillir le potage pendant environ 5 minutes, jusqu'à ce que le riz soit cuit à point.

Juste avant de servir, saupoudrez le potage de persil.
Servez accompagné de pain.

Soupe de poissons à l'orientale
Quelques phases de la préparation. De haut en bas: Mettez les tomates dans la casserole, puis le filets de hareng et, pour terminer, les épinards.

Potage aux cacahuètes

Préparation: 1 heure

Ingrédients pour 4 personnes:
400 g de cacahuètes décortiquées, non salées
40 g de beurre
2 oignons moyens hachés
1 petite feuille de laurier
1 piment très finement haché
¾ l de bouillon de bœuf ou de poule (éventuellement préparé avec des cubes)
20 g de fécule de maïs
2 dl de lait, poivre, sel

Principal ustensile de cuisine:
moulin à amandes, tamis

Préparation:
Essuyez soigneusement une poêle à frire avec du papier absorbant.
Faites chauffer les cacahuètes, en les secouant régulièrement. Laissez-les légèrement griller, puis refroidir. Passez-les au moulin.
Faites chauffer le beurre, faites-y revenir les oignons, ajoutez le laurier, le piment éminçé, le bouillon et les cacahuètes grillées. Laissez cuire au moins 30 minutes à feu doux, puis tamisez la préparation.

Délayez la fécule de maïs dans le lait.
Portez à nouveau le bouillon à ébullition et liez-le avec ce mélange.
Goûtez le potage et rectifiez éventuellement l'assaisonnement en poivre et en sel.

Potage aux moules à la japonaise
Ce potage ne demande pas trop de préparations.

Potage aux moules à la japonaise

Préparation: 25 minutes

Ingrédients pour 4 personnes:
24 ou 28 moules
1 oignon grossièrement émincé
quelques rondelles de carottes, sel
1 cuillerée à soupe de saké
2 cuillerées à soupe de sauce de soja
4 cuillerées à soupe de persil haché

Principal ustensile de cuisine:
tamis ou passoire

Préparation:
Lavez soigneusement les moules à l'eau courante. Jetez les moules ouvertes et coupez les byssus des autres.

Faites cuire les moules dans un fond d'eau bouillante, avec l'oignon et les carottes.
Secouez de temps à autre la casserole et prolongez la cuisson jusqu'à ce que toutes les moules soient ouvertes.
Tamisez le jus de cuisson des moules et remettez-le dans la casserole. Complétez avec de l'eau bouillante pour obtenir 1 l de liquide. Sortez les moules des coquilles, remettez-les dans la soupe et relevez de sauce de soja, de saké et de persil.
Goûtez la soupe et ajoutez du sel si nécessaire. Servez immédiatement dans des bols.

Les viandes

Bœuf aux pousses de bambou
Bœuf à l'aigre-doux
Sukiyaki au rosbif
Sukiyaki au porc
Curry de bœuf
Riz au curry et à la noix de coco
Pot-au-feu syrien
Roulade de bœuf aux oignons
Goulasch hébraïque
Foie de veau hébreu
Tête de veau aux pois chiches
Fricandeau hébreu
Cœur de veau à l'israélienne
Cervelle de veau à l'indienne
Riz indochinois
Pilaf d'agneau à la turque
Ragoût de porc à l'indienne
Escalopes de porc à la japonaise
Agneau à la cinghalaise
Agneau à l'orange
Agneau aux nouilles
Epaule d'agneau au curry
Selle d'agneau en papillote
Côtes d'agneau à l'aigre-doux
Agneau à la pakistanaise
Khare Massala
Ragoût d'agneau à l'indienne
Mouton aux pois chiches
Mouton aux épinards et au fromage

Bœuf aux pousses de bambou

Préparation:
1 heure 30 à 2 heures

Ingrédients pour 4 à 6 personnes:
400 à 600 g de bœuf tendre, 50 g de saindoux,
1 oignon moyen émincé
4 cuillerées à soupe de sauce de soja
1 ½ dl de saké, sel, 2 branches de céleri blanc
coupées en lanières
150 g de champignons lavés et coupés en tran-
ches dans le sens de la longueur
1 boîte de pousses de bambou (150 g)
2 cuillerées à soupe de persil haché

Préparation:
Coupez la viande en fines tranches. Faites chauffer la moitié du saindoux, faites-y dorer la viande, puis retirez-la. Faites ensuite fondre l'oignon dans le saindoux. Remettez la viande dans la casserole et ajoutez-y la sauce de soja, le saké et du sel. Laissez cuire la viande à feu doux. Faites chauffer le reste du saindoux dans une autre casserole, et faites-y mijoter, à couvert, le céleri, les champignons et les pousses de bambou, à feu doux, pendant une dizaine de minutes. Ajoutez les légumes et le persil à la viande, laissez encore cuire l'ensemble des ingrédients pendant 3 minutes et servez.

Bœuf aux pousses de bambou
Comme beaucoup de recettes orienta-
les, ce ragoût est préparé avec du
saké. Le saké peut être remplacé par
du vin blanc sec ou par du xérès sec.

La sauce de soja
La sauce de soja est le produit de la fermentation des graines de soja. Ces graines de soja sont une importante source de nourriture en Extrême-Orient, où on les considère comme le «pain de la vie». Riches en protéines, lipides, calcium, fer et vitamines du complexe B, elles sont consommées comme légumes.
Les graines de soja peuvent remplacer la viande, car elles sont riches en protéines.
On utilise la sauce de soja pour relever les sauces et les potages. On l'emploie souvent aussi pour relever et colorer des plats à base de riz.

Bœuf à l'aigre-doux
Une excellente recette à base de
viande de bœuf et d'oignons.

Bœuf à l'aigre-doux

Préparation: 30 minutes
Cuisson:
2 ½ à 3 heures

Ingrédients pour 4 à 6 personnes:
600 à 800 g de bœuf à étuver
poudre d'ail, poivre, sel
7 cuillerées à soupe d'huile d'olive
75 g de fines tranches de lard
3 cuillerées à soupe de sucre
1 dl de vinaigre aromatisé
700 g de petits oignons, 3 dl de bouillon chaud
2 cuillerées à soupe de purée de tomates
2 petites feuilles de laurier

Principal ustensile de cuisine:
poêle à frire

Préparation:
Frottez la viande de poudre d'ail. Faites chauffer 5 cuillerées à soupe d'huile d'olive dans une casserole et faites-y dorer la viande de tous les côtés.

Faites chauffer le reste de l'huile dans la poêle. Coupez le lard en languettes et laissez-le cuire lentement dans l'huile. Saupoudrez-le du sucre, diminuez autant que possible l'intensité de la source de chaleur. Après 2 minutes, versez le vinaigre dans la poêle. Mélangez bien et versez le contenu de la poêle dans la casserole contenant la viande.
Sortez la viande de la casserole et coupez-la en dés. Remettez ceux-ci dans la casserole. Epluchez les oignons, lavez-les et ajoutez-les aux dés de viande.
Délayez la purée de tomates dans le bouillon et versez cet appareil sur la viande. Ajoutez les feuilles de laurier, poivrez et salez. Laissez reprendre l'ébullition et mélangez bien tous ces ingrédients.
Couvrez la casserole et laissez cuire à feu très doux, pendant 2 ½ à 3 heures.
Retirez les feuilles de laurier.
Goûtez la sauce et relevez à volonté de vinaigre, de sucre, de poivre et, éventuellement, de sel.

Sukiyaki au rosbif

Préparation: 30 minutes

Ingrédients pour 4 à 6 personnes:

200 g d'épinards frais
2 oignons moyens ou 6 échalotes
100 g de champignons frais
2 branches de céleri blanc
1 dl de bouillon de bœuf de 2 cubes
1 dl de sauce de soja, 1 dl d'huile végétale
1 dl de saké
2 cuillerées à soupe de sucre
une bonne pincée de poivre
400 à 600 g de rosbif coupé en tranches

Principaux ustensiles de cuisine:

réchaud de table, grand caquelon ou sauteuse

Préparation:

Lavez soigneusement les épinards et laissez-les égoutter. Epluchez les oignons ou les échalotes et coupez-les en très fines rondelles. Nettoyez les champignons et coupez-les en tranches assez épaisses. Lavez et séchez le céleri, coupez-le en petits morceaux d'environ ½ cm d'épaisseur.

Préparez la sauce en mélangeant le bouillon, la sauce de soja, le saké, le sucre et le poivre. Faites chauffer l'huile dans la sauteuse ou le caquelon, sur le réchaud. Faites-y fondre les oignons en tournant régulièrement. Arrosez avec 1 ½ dl de sauce. Poussez les oignons au bord de la poêle et mettez-y les champignons, le céleri et les épinards. Laissez cuire les légumes pendant 3 minutes, en tournant de temps à autre, délicatement, dans la préparation.

Poussez les légumes au bord de la poêle et mettez-y les tranches de rosbif, une à une. Dès que la viande commence à prendre couleur, présentez-la aux invités. Répartissez également les légumes. Servez le reste de sauce en saucière et accompagnez de riz et de 1 jaune d'œuf cru par personne.

Sukiyaki au rosbif
Quelques phases de la préparation.
De haut en bas et de gauche à droite:
Préparez la sauce avec du bouillon, de la sauce de soja, du saké, du sucre et du poivre.
Faites fondre les oignons et arrosez-les d'un peu de sauce.
Ajoutez les champignons et le céleri, puis les épinards à la préparation.

Sukiyaki au porc

Préparation: 15 à 20 minutes

Ingrédients pour 4 personnes:

*100 g de cresson de fontaine ou
de cressonnette
1 oignon moyen ou 4 échalotes
150 g de poireaux
1 boîte de pousses de bambou (150 g)
1 boîte de champignons émincés (285 g)
1 dl de bouillon de bœuf (de 2 cubes)
5 cuillerées à soupe de sauce de soja
5 cuillerées à soupe de saké
1 cuillerée à soupe de sucre
1 pincée de poivre
5 cuillerées à soupe d'huile végétale
300 à 400 g de rôti de porc cuit, coupé en
tranches*

Préparation:

Lavez le cresson ou la cressonnette et séchez-le bien. Epluchez l'oignon ou les échalotes et hachez-les. Nettoyez le poireau et coupez-le en fines rondelles. Laissez égoutter les pousses de bambou et les champignons. Préparez la sauce en mélangeant le bouillon, la sauce de soja et le saké, le sucre et le poivre.

Faites chauffer l'huile dans une sauteuse, sur le réchaud, et faites-y revenir les oignons ou les échalotes en tournant régulièrement. Ajoutez-y la moitié de la sauce. Poussez les oignons sur le côté et ajoutez le cresson, les pousses de bambou et les champignons en laissant un espace libre au milieu. Disposez-y les tranches de viande pliées en deux ou en trois. Laissez cuire le tout pendant 2 minutes. Accompagnez du reste de la sauce, de riz et d'un jaune d'œuf cru par personne.

Sukiyaki au porc
Ce plat composé de viande et de légumes à peine saisis est très apprécié au Japon. La préparation se fait à table.

Curry de bœuf

Préparation: 1 heure
Cuisson: 45 minutes à 2 heures

Ingrédients pour 4 personnes:
1 oignon grossièrement émincé
rondelles de carottes
branches de persil et de céleri
une pincée de thym, 1 feuille de laurier
6 grains de poivre, sel
500 g de bœuf, par exemple de l'épaule
100 g de beurre
2 oignon moyens très finement émincés
300 g de riz
1 ½ cuillerée à soupe de curry
1 cube de bouillon de bœuf
⅛ l de crème fraîche ou de lait concentré
40 g de farine
ail en poudre, poivre

Principal ustensile de cuisine:
tamis

Préparation:
Portez à ébullition ¾ l d'eau additionnée de l'oignon, des carottes, des branches de persil et de céleri, du thym, de la feuille de laurier, du poivre et d'une petite cuillerée à soupe de sel. Mettez la viande dans la casserole, laissez reprendre l'ébullition et prolongez-la jusqu'à ce que la viande soit presque cuite. Le temps de cuisson dépend de la qualité de la viande et peut varier de 45 minutes à 2 heures. Retirez la viande de son bouillon de cuisson et tamisez celui-ci. Remettez la viande dans le bouillon et réchauffez le tout à feu doux afin de terminer la cuisson de la viande.

Faites chauffer 50 g de beurre dans une casserole. Faites-y fondre les oignons.

Entre-temps, lavez le riz et séchez-le aussi bien que possible.

Relevez les oignons d'une bonne pincée de curry et ajoutez-y le riz. Laissez chauffer le tout en tournant jusqu'à ce que les grains de riz soient dorés.

Arrosez le riz de 6 dl de bouillon; ajoutez-y le cube de bouillon et du sel à volonté. Couvrez la casserole après avoir porté la préparation à ébullition en y tournant régulièrement. Réduisez l'intensité de la source de chaleur et laissez cuire le riz.

Retirez la viande de la casserole, incorporez la crème au bouillon et ajoutez éventuellement un peu d'eau pour obtenir ½ l de liquide.

Faites fondre le reste du beurre dans une poêle et ajoutez-y le curry en veillant bien à ce que l'épice ne brûle pas. Mélangez la farine au beurre et allongez petit à petit avec le bouillon, en tournant continuellement dans la préparation, jusqu'à obtention d'une sauce lisse.

Coupez la viande en gros dés. Réchauffez-la dans la sauce. Goûtez la sauce et rectifiez-en éventuellement l'assaisonnement en y ajoutant du curry, de la poudre d'ail, du poivre et du sel. Détachez le riz avec une grande fourchette. Disposez-le sur un plat de service et garnissez-en le centre avec la viande en sauce.

Accompagnez de carottes étuvées ou d'une salade composée, par exemple, de chou et de céleri-rave.

Le curry
Le curry (ou cari, ou carry) est un mélange d'épices. Son principal composant est le rhizome du curcuma qui lui confère sa couleur jaune caractéristique. On y trouve encore de la coriandre, des clous de girofle, du carvi, du gingembre et du piment. Tous ces ingrédients n'apparaissent pas toujours dans les mêmes proportions dans le mélange; c'est pour cette raison que le curry peut avoir des saveurs différentes.
Les plats de viande, de volaille ou de poisson, préparés avec cette épice, sont également appelés curry.

Curry de bœuf
Cette préparation qui nous vient de l'Inde doit son parfum exotique au curry et aux herbes qu'elle renferme.

Riz au curry et à la noix de coco

Préparation: 40 minutes

Ingrédients pour 4 personnes:
100 g de noix de coco râpée, 4 dl de lait
300 g de riz, 50 g de beurre, sel
1 oignon haché très fin
1 cuillerée à soupe de curry

Principal ustensile de cuisine:
tamis

Préparation:
Portez à ébullition 3 dl d'eau et le lait avec la noix de coco râpée. Tournez continuellement, puis retirez la casserole de la source de chaleur. Laissez reposer 15 minutes, puis tamisez le contenu de la casserole. Pressez un maximum de liquide de la noix de coco.

Lavez le riz et séchez-le aussi soigneusement que possible. Faites fondre le beurre et faites-y revenir l'oignon. Ajoutez-y le curry. Arrosez avec le lait de coco, portez à ébullition et incorporez-y le riz et un peu de sel, dès que le lait commence à bouillir.

Laissez reprendre l'ébullition en tournant, couvrez la casserole et laissez cuire le riz à feu doux.

Pot-au-feu syrien
Accompagnez cette préparation, à base de viande et de légumes, de macaronis ou de riz.

Pot-au-feu syrien

Préparation:
1 heure 30 à 2 heures

Ingrédients pour 4 personnes:
400 g de bœuf en morceaux
50 g de beurre, 2 gros oignons hachés
1 cuillerée à soupe de purée de tomates
une pincée de piment en poudre
poivre, sel
1 feuille de laurier
1 kg d'épinards ou, éventuellement, de bettes, de mâche ou d'endives
1 gros poireau
12 g de fécule de pomme de terre

Préparation:
Coupez éventuellement la viande en morceaux de même grandeur. Faites fondre le beurre et faites-y revenir les oignons, ajoutez la viande et laissez-la dorer de toutes parts. Arrosez de 2 ½ dl d'eau bouillante. Ajoutez la purée de tomates, le piment, la feuille de laurier, du poivre et du sel à la préparation. Laissez cuire à feu doux. Entre-temps, nettoyez et lavez les légumes; séchez-les bien. Coupez le poireau en julienne et découpez les autres légumes. Laissez-les fondre à petit feu. Retirez la feuille de laurier de la casserole et ajoutez-la aux légumes.

Délayez la fécule de pomme de terre dans un peu d'eau. Liez la cuisson de la viande avec ce mélange. Ajoutez-y les légumes et rectifiez éventuellement l'assaisonnement en poivre et en sel.

Roulade de bœuf aux oignons

Préparation:
2 heures 30
Cuisson au four:
2 heures

Ingrédients pour 4 personnes:
800 à 1 200 g de roulade de bœuf
50 g de saindoux, 50 g de beurre
1 kg de petits oignons
3 cuillerées à soupe de sucre
2 ½ dl de bouillon (frais ou de cubes)
1 dl de vinaigre aromatisé
2 cuillerées à soupe de purée de tomates
1 feuille de laurier
une pincée de poivre, sel
4 cuillerées à soupe de persil haché

Principaux ustensiles de cuisine:
four (180 °C), lèchefrite, grande cocotte, fourchette à viande

Préparation:
Préchauffez le four. Faites chauffer le saindoux dans la cocotte, ajoutez-y le beurre et faites dorer la roulade dans ce mélange.
Entre-temps, épluchez, lavez et séchez les
petits oignons. Retirez la viande de la cocotte,
mettez le sucre à roussir dans la graisse de cuisson et ajoutez le bouillon, le vinaigre, la purée
de tomates, le laurier, le poivre et le sel. Versez
le tout dans la lèchefrite, ajoutez-y les petits
oignons et la viande et glissez-la au milieu du
four. Si vous n'avez pas de lèchefrite, mettez
tous ces ingrédients dans un plat à four que
vous déposerez sur la grille, à mi-hauteur dans
le four. Arrosez de temps à autre la viande et
les oignons de sauce et laissez cuire la viande
à point.
Avant de servir, saupoudrez le mets de persil.
Accompagnez de riz, éventuellement au curry.

Roulade de bœuf aux oignons
*Un repas de fête composé de viande
de bœuf rôtie et de petits oignons, le
tout nappé d'une sauce relevée.*

Goulasch hébraïque

Préparation: 1 heure 45

Ingrédients pour 4 personnes:
400 g de viande de bœuf
5 cuillerées à soupe d'huile
2 gros oignons émincés
1 gousse d'ail pressée
½ cuillerée à café de cumin ou
de carvi en poudre
1 cuillerée à café de marjolaine en poudre
2 cuillerées à café de paprika
poivre et sel
5 cuillerées à soupe de farine
¾ l de bouillon (frais ou de cubes)

Préparation:
Coupez la viande en morceaux. Faites chauffer l'huile. Faites-y revenir les oignons. Ajoutez la viande et laissez-la dorer pendant une dizaine de minutes, à feu doux.

Relevez d'ail, de cumin, de marjolaine, de paprika, de sel et de poivre; laissez encore mijoter doucement pendant un quart d'heure. Saupoudrez de farine et arrosez de bouillon. Couvrez la cocotte et prolongez la cuisson jusqu'à ce que la viande soit à point et la sauce liée. Rectifiez éventuellement l'assaisonnement en poivre et en sel.

Selon la tradition hébraïque, cette préparation est accompagnée de petites quenelles de farine. Pour confectionner ces quenelles, travaillez de la farine, de l'eau et du sel en une pâte homogène. Formez-en des boulettes que vous laisserez cuire pendant 5 minutes dans de l'eau bouillante. Ajoutez-les à la viande pendant le dernier quart d'heure de la cuisson.

Goulasch hébraïque
Cette délicieuse recette de viande peut également se préparer dans un autocuiseur.

Le carvi
Le carvi (Carum carvi), ou cumin des prés, est une plante des prés qui produit des fruits aromatiques. On utilise les graines pour aromatiser le fromage, le pain ou les pâtisseries.

Les jeunes feuilles donnent une saveur tout à fait particulière aux sauces, aux potages et aux salades. Elles doivent toujours être incorporées en fin de cuisson et ne doivent pas cuire avec le mets.

Le cumin (Cuminum cyminum) est très proche du carvi. Il s'agit d'une ombellifère originaire du Levant et dont les fruits mûrs servent à la préparation de différents fromages et d'un alcool, le kummel.

Foie de veau hébreu
En Israël, on accompagne cette préparation de riz et de pommes vapeur.

Foie de veau hébreu

Préparation: 10 minutes

Ingrédients pour 4 personnes:
50 g de raisins secs
3 cuillerées à soupe d'huile
4 tranches de foie de veau
10 cuillerées à soupe de farine, sel
1 cuillerée à soupe de vinaigre, poivre

Préparation:
Faites tremper les raisins dans de l'eau tiède.

Passez les tranches de foie dans la farine et laissez-les rapidement dorer dans l'huile chaude, en veillant à ce qu'elles ne durcissent pas. Gardez le foie au chaud sur un plat de service. Laissez bien égoutter les raisins, roulez-les dans la farine et faites-les revenir, avec un peu de sel, dans la graisse de cuisson du foie. Délayez 3 cuillerées à soupe de farine dans le vinaigre et 1 cuillerée à soupe d'eau. Versez ce mélange dans la poêle, tournez dans la préparation et laissez cuire environ 2 minutes. Relevez de poivre et de sel. Nappez les tranches de foie de sauce et servez immédiatement.

Tête de veau aux pois chiches

Préparation: 2 heures
Temps de repos: 12 heures

Ingrédients pour 4 personnes:

150 g de pois chiches ou de haricots blancs secs, 600 g de tête de veau nettoyée
1 dl d'huile d'olive, 2 oignons émincés
1 petite boîte de purée de tomates, poivre
1 gousse d'ail émincée, 2 poivrons verts
1 cuillerée à café de paprika en poudre, sel
2 cuillerées à soupe de vinaigre aromatisé

Préparation:

Laissez tremper les pois chiches pendant 12 heures dans une grande quantité d'eau. Lavez la tête de veau et coupez la chair en morceaux; salez-les et poivrez-les. Faites chauffer l'huile et faites-y dorer les morceaux de viande et les oignons. Après une dizaine de minutes, ajoutez la purée de tomates, l'ail et le paprika. Versez ensuite les pois chiches avec leur eau de trempage. Le contenu de la casserole doit juste être recouvert de liquide. Diminuez l'intensité de la source de chaleur, couvrez la casserole et laissez mijoter tout doucement pendant 1 ½ heure à 2 heures. Entre-temps, lavez les poivrons, retirez-en les graines et les côtes, et coupez-les en morceaux. Ajoutez-les à la préparation une demi-heure avant la fin de la cuisson. Rectifiez l'assaisonnement. Ajoutez le vinaigre au dernier moment. Mélangez bien tous les ingrédients et servez.

Tête de veau aux pois chiches

Quelques phases de la préparation. De gauche à droite et de haut en bas: Coupez la viande en morceaux. Ajoutez la purée de tomates et l'ail à la viande et aux oignons étuvés. Introduisez les pois chiches dans la casserole. Ajoutez les morceaux de poivrons et relevez de vinaigre juste avant de servir.

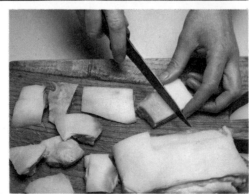

Fricandeau hébreu

Préparation: 1 heure 20
Temps de repos: 12 heures

Ingrédients pour 6 à 8 personnes:
800 à 1 000 g de fricandeau
poivre
sel
1 oignon grossièrement haché
quelques rondelles de carottes
1 branche de céleri à côtes
huile
2 petites feuilles de laurier
10 grains de poivre blanc
laitue lavée et essorée

Principaux ustensiles de cuisine:
petite casserole, petite terrine ou plat, couteau bien aiguisé

Préparation:
Poivrez légèrement la viande et placez-la dans une petite casserole. Ajoutez-y l'oignon et la carotte. Lavez le céleri et coupez-le en julienne. Ajoutez-le dans la casserole et versez suffisamment d'eau pour que tous les ingrédients soient recouverts. Portez à ébullition, diminuez l'intensité de la source de chaleur et laissez mijoter pendant 60 minutes.

Sortez la viande du bouillon et réservez celui-ci pour préparer une sauce ou un potage. Disposez la viande dans une terrine ou sur un plat. Arrosez de suffisamment d'huile pour la recouvrir. Ajoutez les feuilles de laurier, poivrez et laissez reposer le tout pendant 12 heures au réfrigérateur. Quelques minutes avant de passer à table, retirez la viande de l'huile et coupez-la en très fines tranches avec un couteau bien tranchant. Salez et poivrez la viande à volonté. Recouvrez un plat de service de feuilles de laitue. Disposez les tranches de veau sur le lit de laitue. Accompagnez de pommes de terre sautées ou d'épaisses tranches de pain complet.

Fricandeau hébreu
Une recette qui mérite d'être essayée!

Cœur de veau à l'israélienne

Préparation: 1 heure 10

Ingrédients pour 4 personnes:

400 g de cœur de veau
100 g de beurre
2 gousses d'ail pressées
une bonne pincée de marjolaine en poudre ou quelques feuilles fraîches
½ cuillerée à café de poivre du moulin
sel
2 cuillerées à soupe de farine
5 cuillerées à soupe de vin blanc sec
2 dl de bouillon
400 g de pommes de terre épluchées et coupées en morceaux
250 g de petits oignons épluchés ou d'échalotes
150 g de lard fumé coupé en fines tranches

Préparation:

Coupez le cœur en fines tranches à l'aide d'un couteau bien aiguisé. Retirez-en les vaisseaux sanguins.

Faites chauffer 50 g de beurre. Mélangez l'ail, le romarin, le poivre et le sel à la farine, et passez les tranches de cœur dans ce mélange. Faites-les dorer en les retournant de temps à autre. Ajoutez le vin et la moitié du bouillon, couvrez la casserole et laissez mijoter. Séchez très soigneusement les pommes de terre et les oignons. Faites chauffer le reste du beurre. Faites-y dorer le lard coupé en petits morceaux, ainsi que les pommes de terre et les oignons; salez, recouvrez d'eau et couvrez la casserole. Ajoutez le reste du bouillon à la viande. Rectifiez éventuellement l'assaisonnement. Mélangez les tranches de cœur avec les pommes de terre, les oignons et le lard. Faites bien chauffer et servez immédiatement.

Cœur de veau à l'israélienne
Ce cœur de veau à l'étuvée, avec son accompagnement de légumes, ravira les gourmets.

Cervelle de veau à l'indienne

Préparation: 1 heure

Ingrédients pour 4 personnes:
2 cervelles de veau
4 cuillerées à soupe de vinaigre
½ oignon grossièrement haché
quelques brins de persil et de céleri
300 g de riz
½ oignon finement haché
½ branche de céleri à côtes hachée
1 cuillerée à soupe de persil grossièrement haché
½ feuille de laurier
une pincée de thym
noix de muscade, sel
½ cuillerée à café de curry
50 g de beurre
40 g de farine
2 ½ dl de bouillon, frais ou de cubes
1 dl de lait concentré
jus de citron

Principaux ustensiles de cuisine:
linge propre, four (180 °C), fin tamis

Préparation :
Plongez la cervelle dans de l'eau froide, changez régulièrement l'eau jusqu'à ce que tout le sang se soit écoulé. Portez à ébullition ¾ l d'eau, additionnée du vinaigre, du ½ oignon grossièrement haché, des brins de persil, de céleri et de 2 cuillerées à café de sel. Faites-y pocher la cervelle pendant 8 minutes.
Lavez le riz. Portez à ébullition 2 l d'eau additionnée de 2 cuillerées à soupe de sel et versez-y le riz. Tournez dans la casserole jusqu'à ce que l'ébullition reprenne.
Préchauffez le four.
Egouttez le riz après 15 minutes. Rincez-le à l'eau froide. Répartissez-le sur un linge, mettez celui-ci sur la lèchefrite ou dans un plat à four et glissez-le au milieu du four.
Retirez les cervelles de la casserole et retirez-en les membranes.
Faites fondre le beurre et faites-y revenir l'oignon. Ajoutez le céleri à côtes, le persil haché, la feuille de laurier, le thym et le curry; laissez cuire à feu doux, en tournant dans la préparation, jusqu'à ce que le céleri soit bien tendre. Incorporez-y la farine et une partie du bouillon. Laissez rapidement reprendre l'ébullition et tamisez le mélange.

Réchauffez la sauce tamisée et allongez-la de lait concentré et de jus de citron. Relevez à volonté de noix de muscade. Réchauffez la cervelle dans la sauce.
Disposez le riz sur un plat de service et garnissez de cervelle et d'un peu de sauce.
Servez le reste de la sauce dans une saucière préchauffée.

Cervelle de veau à l'indienne
Un mets de fête aux accents exotiques.

Riz indochinois

Préparation: 1 heure

Ingrédients pour 4 personnes:
350 g de viande de veau
200 g de blanc de poulet
4 cuillerées à soupe d'huile
4 échalotes ou 1 oignon moyen haché
300 g de riz
6 dl de bouillon de poule, frais ou de cubes
2 cuillerées à soupe de vinaigre
quelques grains d'anis

une pincée de cannelle
½ cuillerée à café de gingembre en poudre
poivre du moulin
sel
100 g de crevettes épluchées, fraîches ou surgelées
2 œufs
2 cuillerées à soupe de lait
20 g de beurre
1 poivron vert

Préparation:
Coupez les viandes en petits morceaux.

Riz indochinois
Ce plat épicé à base de riz contient de la viande de veau, du poulet et des crevettes.

Riz indochinois

Quelques phases de la préparation.
De haut en bas et de gauche à droite:
Ajoutez le veau et le poulet aux
oignons.
Arrosez avec le bouillon.
Incorporez-y le riz.
Assaisonnez et relevez de vinaigre.
Garnissez de lanières d'omelette et de
poivron.

Faites chauffer l'huile dans une casserole.
Faites-y dorer les oignons et les morceaux de
viande.
Entre-temps lavez et séchez le riz. Mettez-le
dans la casserole et laissez-le rapidement revenir avec les autres ingrédients.
Réchauffez le bouillon.
Versez le bouillon dans la casserole, ainsi que
le vinaigre. Relevez d'anis, de cannelle, de gingembre en poudre, de poivre et de sel.
Ajoutez les crevettes et portez à ébullition en
tournant. Couvrez la casserole, réduisez l'intensité de la source de chaleur et laissez cuire
le riz.
Entre-temps, battez les œufs avec le lait, du

poivre et du sel. Faites chauffer le beurre ou
l'huile dans une petite poêle. Versez-y le
mélange aux œufs. Lorsque les bords sont
pris, soulevez l'omelette et laissez couler l'œuf
encore liquide sur la poêle.
Lorsque l'omelette est bien cuite, pliez-la en
deux ou en trois et faites-la glisser sur une
planche à découper.
Coupez-la en fines languettes.
Lavez le poivron, retirez-en les graines et les
côtes et coupez-le en lanières.
Faites délicatement glisser le riz sur un plat de
service. Utilisez une fourchette pour cette opération, car une cuillère aplatirait les grains.
Garnissez de poivron et de lanières d'omelette.

Pilaf d'agneau à la turque

Préparation: 1 heure 20

Ingrédients pour 4 personnes:
350 g de riz, 400 g d'agneau
8 cuillerées à soupe d'huile d'olive
2 gros oignons émincés
1 gousse d'ail pressée
3 cuillerées à soupe de sauce tomate piquante
une bonne pincée de sucre
poivre, sel, 2 tomates pelées
yaourt, graines de coriandre concassées

Préparation:
Lavez le riz et laissez-le sécher.

Lavez la viande et coupez-la en morceaux.
Faites chauffer l'huile et faites-y dorer l'oignon et l'ail, puis faites dorer la viande de toutes parts.
Ajoutez la sauce tomate, le sucre, le poivre et
le sel.
Coupez les tomates en tranches, épépinez-les et
faites-les cuire avec les oignons.
Ajoutez 6 dl d'eau bouillante, versez-y le riz et
tournez dans la préparation jusqu'à ce que
l'ébullition reprenne.
Couvrez la casserole et laissez cuire à tout petit
feu.
Accompagnez d'une sauce au yaourt faite de
yaourt battu avec du poivre, du sel et des graines de coriandre concassées.

Ragoût de porc à l'indienne
Une façon originale d'accommoder le porc qui s'imprègne de tous les parfums de l'Inde.

Ragoût de porc à l'indienne

Préparation: 1 heure 30

Ingrédients pour 4 personnes:
600 g de viande de porc maigre coupée en dés
50 g de beurre
2 oignons moyens émincés
2 gousses d'ail pressées
une pincée de piment en poudre ou
haché
20 g de gingembre coupé en tranches ou
½ cuillerée à café de gingembre en poudre
2 poivrons verts émincés
1 cuillerée à soupe de curry
3 cuillerées à soupe de vinaigre
1 cuillerée à café de sucre
1 cuillerée à soupe d'extrait de tamaris (en flacon)

Préparation:
Séchez la viande avec du papier absorbant. Faites fondre le beurre, faites-y revenir l'oignon et l'ail, et retirez-les de la casserole dès que l'oignon commence à prendre couleur.
Faites cuire la viande, par quelques morceaux à la fois, dans le même beurre, et disposez-les sur un plat.
Lorsque tous les morceaux de viande sont passés au beurre, retirez la casserole du feu. Mettez-y le piment et mélangez bien. Remettez-y les oignons et l'ail, le gingembre, les poivrons, la viande rôtie, du sel et 3 dl d'eau bouillante.
Remettez la casserole sur le feu et laissez mijoter jusqu'à ce que la viande soit bien tendre.
Délayez le curry dans le vinaigre, ajoutez-y le sucre, l'extrait de tamaris et 1 dl d'eau et arrosez la viande de ce mélange.

Escalopes de porc à la japonaise

Préparation: 40 minutes
Marinage: 1 heure

Ingrédients pour 4 personnes:
2 cuillerées à soupe de sauce de soja
1 ½ dl de saké
2 cuillerées à café de sucre
une pincée de poivre du moulin, sel, moutarde
4 escalopes de porc (400 à 500 g)
2 aubergines
6 cuillerées à soupe d'huile
2 cuillerées à soupe de persil haché

Préparation:
Mélangez la sauce de soja, le saké, le sucre et le poivre dans un plat profond. Mettez-y la viande et laissez-la mariner pendant 1 heure environ en la tournant de temps à autre.

Epluchez les aubergines, coupez-les en deux dans le sens de la longueur, saupoudrez-les de sel et laissez-les reposer pendant une demi-heure pour les rendre moins amères.

Séchez les aubergines avec du papier absorbant et coupez-les en dés.

Faites chauffer 2 cuillerées à soupe d'huile, faites-y revenir les aubergines et salez-les. Ajoutez-y quelques cuillerées d'eau ou de bouillon et laissez s'achever la cuisson.

Faites chauffer le reste de l'huile dans une poêle et faites-y dorer la viande. Ajoutez-y la marinade et laissez encore cuire à feu doux pendant 5 à 6 minutes.

Disposez les escalopes sur un plat préchauffé et arrosez-les de leur jus de cuisson.

Mélangez le persil aux aubergines. Garnissez le plat de viande avec les légumes.

Présentez la moutarde dans un ravier afin que chacun puisse se servir à volonté.

Une variante de cette recette consiste à remplacer les aubergines par 200 g de champignons. Lavez les champignons, enlevez-en les parties foncées et coupez-les en tranches assez épaisses.

Un mélange de champignons et d'aubergines accompagne tout aussi heureusement la viande et on peut même y ajouter un poivron rouge ou vert, ou les deux.

Si vous ajoutez des poivrons, enlevez les pédoncules, lavez les poivrons et séchez-les. Retirez-en les côtes et les graines. Emincez-les et faites-les cuire avec les autres légumes.

Escalopes de porc à la japonaise
Une recette de porc mariné accompagné d'aubergines et de moutarde.

Agneau à la cinghalaise

Préparation: 50 minutes

Ingrédients pour 4 personnes:
500 g d'épaule ou de gigot d'agneau
4 cuillerées à soupe d'huile
30 g de beurre
2 gros oignons hachés
1 cuillerée à soupe de curry
1 cuillerée à soupe de purée de tomates
½ cuillerée à café de cannelle
1 feuille de laurier
1 l de bouillon
(frais ou de cubes)
150 g de champignons
3 courgettes
4 tomates pelées
3 cuillerées à soupe de mango chutney
1 épaisse tranche de pain bis sans croûtes
300 g de riz
poivre
sel
3 cuillerées à soupe de raisins secs trempés

Préparation:
Coupez la viande en gros dés. Faites chauffer 1 cuillerée à soupe d'huile, ajoutez-y le beurre et faites-y fondre les oignons, en remuant régulièrement. Ajoutez-y le curry, puis la viande que vous laisserez dorer de toutes parts. Ajoutez ensuite la purée de tomates, le gingembre, la cannelle, le laurier et 2 dl de bouillon.

Nettoyez les champignons, lavez-les et coupez-les en tranches assez épaisses. Lavez les courgettes et coupez-les en tranches de ½ cm d'épaisseur. Ecrasez les tomates à l'aide d'une fourchette et épépinez-les.

Mettez les légumes dans la casserole, ainsi que le chutney. Arrosez de 2 dl de bouillon et introduisez le pain dans la casserole.

Réduisez l'intensité de la source de chaleur au minimum. Lavez le riz et séchez-le très soigneusement.

Faites chauffer le reste de l'huile dans une casserole, faites-y dorer le riz en le remuant fréquemment.

Versez le reste du bouillon dans la casserole. Portez à ébullition, couvrez la casserole et laissez cuire pendant 20 minutes environ.

Retirez délicatement le riz de la casserole à l'aide d'une fourchette. Enlevez la feuille de laurier de la casserole. Mélangez bien le contenu de la casserole de façon à ce que le pain lie la sauce.

Goûtez-la et rectifiez éventuellement l'assaisonnement avec du poivre et du sel. Versez la viande au milieu du riz et décorez le plat d'une bordure de raisins secs.

Agneau à la cinghalaise
De l'agneau au curry, servi avec du riz et accompagné de raisins secs.

Agneau à l'orange

Préparation: 50 minutes

Ingrédients pour 4 personnes:
400 g de viande d'agneau
2 cuillerées à soupe d'huile
1 petit oignon haché
le zeste râpé d'une orange
le jus de ½ orange
1 cuillerée à soupe de gelée de groseilles rouges
4 dl de bouillon (de cubes)
1 cuillerée à soupe de moutarde
½ cuillerée à café de sucre
une pincée de piment en poudre
3 cuillerées à soupe de fécule de maïs
4 cuillerées à soupe de lait concentré
poivre, sel

Préparation:
Coupez la viande en morceaux d'égale grandeur. Faites chauffer l'huile et faites-y fondre l'oignon, puis, ajoutez la viande et laissez-la dorer de toutes parts. Ajoutez le zeste et le jus d'orange ainsi que la gelée et le bouillon.

Mélangez la moutarde, le sucre et le piment, et relevez la préparation de ce mélange.

Mélangez soigneusement tous les ingrédients, réduisez l'intensité de la source de chaleur au minimum et laissez mijoter pendant 30 à 40 minutes. Vérifiez si la viande est cuite, goûtez la sauce.

Délayez la fécule de maïs dans le lait concentré et liez le ragoût avec ce mélange.

Assaisonnez à volonté de poivre et de sel.

Accompagnez de riz et décorez le plat de quartiers d'orange.

Agneau aux nouilles

Préparation: 1 heure 10

Ingrédients pour 6 à 8 personnes:
1 kg d'épaule d'agneau
4 cuillerées à soupe d'huile
100 g de beurre
3 gros oignons émincés
1 cuillerée à soupe de curry
¼ l de crème
poivre
sel
éventuellement, du bouillon
500 à 750 g de nouilles

Préparation:
Découpez la viande en 12 ou 16 morceaux. Faites chauffer l'huile, ajoutez 50 g de beurre mais veillez à ce qu'il ne brunisse pas. Faites-y dorer la viande de toutes parts. Ajoutez l'oignon et laissez-le fondre en tournant dans la préparation. Mélangez le curry et une partie de la crème. Versez ce mélange et le reste de la crème dans la casserole; relevez de poivre et sel. Couvrez la casserole et laissez mijoter pendant une petite heure. Vérifiez le degré de cuisson de la viande. Lorsque la viande a cuit une demi-heure, portez de l'eau, ou le bouillon, à ébullition. Faites-y cuire les nouilles d'après les instructions qui figurent sur l'emballage. Incorporez le reste du beurre aux pâtes. Saupoudrez la préparation d'un peu de curry et servez aussi chaud que possible, avec, par exemple, une salade de tomates.

Agneau aux nouilles
Ce plat typique de la cuisine indienne, agrémenté de crème et de curry, est accompagné de nouilles.

Epaule d'agneau au curry

Préparation: 1 heure 45

Ingrédients pour 6 personnes:
1 à 2 kg d'épaule d'agneau
2 gros oignons émincés
80 g de beurre, poivre, sel
½ l de bouillon chaud
3 cuillerées à soupe de farine
1 ½ cuillerée à café de curry
50 g de noix de coco râpée

Préparation:
Coupez l'épaule d'agneau en petits morceaux.

Faites cuire les rouelles d'oignon pendant 3 minutes dans un fond d'eau.

Faites chauffer le beurre et faites-y dorer la viande de toutes parts.

Egouttez les oignons, ajoutez-les à la viande, ainsi que le bouillon. Salez si nécessaire. Couvrez la casserole et laissez cuire à feu doux pendant 45 minutes.

Mélangez la farine et le curry; saupoudrez ce mélange sur la viande.

Tournez dans la préparation et laissez réduire la sauce jusqu'à ce qu'elle soit onctueuse.

Incorporez-y la noix de coco et relevez éventuellement d'un peu de poivre et de sel.

Servez la viande en sauce, accompagnée de riz.

Epaule d'agneau au curry

Ce plat de la cuisine indienne se compose de viande d'agneau, nappée d'une sauce au curry et à la noix de coco, et de riz.

Quelques phases de la préparation.

De haut en bas: Faites dorer les morceaux d'épaule d'agneau. Ajoutez-y les oignons, rapidement blanchis à l'eau bouillante, et le bouillon.

Liez avec un mélange de farine et de curry. Incorporez la noix de coco à la sauce.

Selle d'agneau en papillote

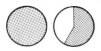

Préparation: 20 minutes
Cuisson au four:
1 heure 15

Ingrédients pour 6 à 8 personnes:
1 ¼ kg de selle d'agneau en une pièce
ail en poudre
romarin en poudre
poivre, sel
2 dl d'huile
500 g de tomates
½ oignon grossièrement haché
1 dl de vinaigre aromatisé
2 cuillerées à soupe de sucre
1 ½ kg de scarole lavée et hachée

Principaux ustensiles de cuisine:
feuille de papier sulfurisé, pinceau à badigeonner, four (260 °C), tamis

Préparation:
Préchauffez le four.
Séchez la viande avec du papier absorbant.
Mélangez l'ail, le romarin, le poivre et le sel et frottez la viande avec ce mélange.

Badigeonnez généreusement d'huile une face du papier sulfurisé. Enveloppez-en la viande.
Déposez cette papillote sur la lèchefrite ou dans un plat à four et glissez le tout au milieu du four.
Faites chauffer le reste de l'huile.

Lavez les tomates, coupez-les en morceaux et faites-les étuver avec l'oignon et l'huile.
Pressez le tout à travers le tamis et relevez ce coulis de tomates de vinaigre et de sucre; poivrez et salez à volonté.

Laissez la viande au four pendant environ 1 heure.
Retirez-la lorsque le papier commence à brunir.
Vérifiez le degré de cuisson.
Ajoutez le jus de cuisson à la sauce.
Préchauffez un plat de service.

Laissez reposer la selle d'agneau pendant quelques minutes avant de la découper.
Accompagnez de sauce et de scarole que vous aurez fait cuire «al dente».

Selle d'agneau en papillote
Le mode de cuisson de cette selle d'agneau lui donne une saveur particulière. Elle s'accompagne très bien de scarole juste blanchie.

Côtes d'agneau à l'aigre-doux

Préparation: 45 minutes
Marinage: 2 à 3 heures

Ingrédients pour 4 personnes:
8 côtes d'agneau
3 cuillerées à soupe de sauce de soja
1 cuillerée à soupe de saké
1 cuillerée à soupe d'huile
3 cuillerées à soupe de cassonade brune
3 cuillerées à soupe de jus de citron
75 g de beurre, sel
3 ou 4 cuillerées à soupe de farine
2 oignons, 2 poivrons rouges
3 morceaux de gingembre, 3 olives
1 petite boîte de mandarines
3 cuillerées à soupe de fécule de maïs

Préparation:
Désossez les côtes et découpez-les en languettes de 1 cm de largeur.
Préparez une marinade avec la sauce de soja, le saké, l'huile, la cassonade et le jus de citron.
Salez à volonté. Laissez mariner la viande au moins 2 heures dans ce mélange. Laissez-la égoutter dans le tamis.
Faites chauffer le beurre ou l'huile, passez la viande dans la farine et laissez-la dorer lentement.
Nettoyez les oignons et les poivrons. Hachez-les finement et mettez-les dans la casserole avec la viande. Hachez également le gingembre et les olives et ajoutez-les à la préparation.
Réduisez l'intensité de la source de chaleur au minimum.
Arrosez le contenu de la casserole de quelques cuillerées de marinade.
Laissez égoutter les mandarines et mélangez-les délicatement à la viande.
Délayez la fécule de maïs dans une petite quantité de jus des mandarines. Allongez la sauce avec le reste du jus des mandarines et de l'eau jusqu'à obtention de 1 ½ dl de sauce. Liez la sauce avec la fécule de maïs et laissez-la épaissir.
Goûtez-la et rectifiez éventuellement l'assaisonnement avec du jus de citron ou de la marinade.

Agneau à la pakistanaise

Préparation: 45 minutes
Cuisson: 45 minutes

Ingrédients pour 6 à 8 personnes:

1 ½ kg de viande d'agneau désossée
3 gros oignons
2 gousses d'ail
80 g de beurre
poivre
sel
une pincée de clous de girofle en poudre
une pincée de noix de muscade en poudre
une pincée de coriandre en poudre
½ cuillerée à café de paprika
1 l de lait chaud
une pincée de safran
300 g de riz
100 g de raisins blancs
50 g d'amandes effilées
2 oranges épluchées et coupées en rondelles

Préparation:

Lavez et séchez la viande; coupez-la en morceaux. Coupez les oignons en rondelles et hachez les gousses d'ail.

Faites fondre le beurre dans une grande casserole, ajoutez-y les oignons et l'ail et, dès qu'ils commencent à prendre couleur, la viande. Laissez-la dorer de toutes parts en tournant de temps à autre.

Salez et poivrez; relevez de clous de girofle, de noix de muscade, de coriandre et de paprika. Mélangez bien, puis, arrosez avec le lait chaud. Délayez le safran dans un peu d'eau chaude et ajoutez-le à la préparation.

Couvrez la casserole et laissez mijoter jusqu'à ce que la viande soit complètement cuite (¾ heure au moins).

Lavez le riz et laissez-le bien égoutter. Ajoutez-le à la viande de façon à ce que ces deux ingrédients soient cuits en même temps. Lavez, pelez et épépinez les raisins. Ajoutez-les à la préparation, ainsi que les amandes effilées et les rondelles d'orange, cinq minutes avant la fin de la cuisson.

Mélangez bien, goûtez, rectifiez éventuellement l'assaisonnement et disposez le tout sur un plat de service.

Servez immédiatement.

Accompagnez d'une salade, par exemple, d'endives et de morceaux d'orange.

Agneau à la pakistanaise
Si vous voulez encore accentuer le caractère exotique de cette préparation, remplacez le lait par du yaourt.

Khare Massala
Cette recette, comme de nombreuses autres recettes indiennes, se caractérise par un emploi généreux d'épices.

Khare Massala

Préparation: 45 minutes
Cuisson: 50 minutes

Ingrédients pour 4 personnes:
400 g d'épaule ou de poitrine d'agneau désossée
30 g de beurre
sel
1 cuillerée à café de curcuma
1 cuillerée à café de gingembre en poudre
une bonne pincée de clous de girofle en poudre
1 gros oignon
1 gousse d'ail pressée
une pincée de poivre de Cayenne

Préparation:
Lavez la viande, séchez-la avec du papier absorbant et coupez-la en petits morceaux. Faites chauffer le beurre et faites-y dorer de toutes parts les morceaux de viande.
Relevez-les de sel, de curcuma, de poudre de gingembre et de clous de girofle en poudre.

Couvrez la casserole et laissez cuire à feu doux pendant environ 10 minutes.
Coupez l'oignon en fines rondelles et ajoutez-le, ainsi que l'ail, à la préparation.
Saupoudrez du poivre de Cayenne.

Couvrez à nouveau la casserole, réduisez l'intensité de la source de chaleur et laissez mijoter pendant 40 minutes.
Sans découvrir la casserole, secouez-en de temps en temps le contenu.
Servez dans le récipient de cuisson, avec du riz à l'indienne (voir page 141).

Ragoût d'agneau à l'indienne

Préparation: 1 heure

Ingrédients pour 4 à 6 personnes:
500 g d'épaule d'agneau désossée
80 g de beurre
3 gros oignons
400 g de chou émincé
4 gousses d'ail
sel
une pincée de laurier en poudre
une pincée de clous de girofle en poudre
1 cuillerée à café de curry
2 ½ dl de bouillon
poivre

Préparation:
Coupez la viande en dés.
Faites chauffer le beurre.
Epluchez les oignons, hachez-les très finement et faites-les revenir dans le beurre.
Lavez le chou, séchez-le soigneusement et ajoutez-le aux oignons.
Nettoyez et pressez l'ail; ajoutez-le aux légumes.

Mettez la viande dans la casserole et salez le tout.
Diminuez l'intensité de la source de chaleur et laissez mijoter pendant une dizaine de minutes.
Relevez de laurier, de clous de girofle et de curry.
Arrosez de suffisamment de bouillon pour que la viande soit recouverte.
Poursuivez la cuisson.
Délayez la farine dans le reste du bouillon et liez la sauce avec ce mélange.
Goûtez la sauce et rectifiez-en éventuellement l'assaisonnement en poivre et en sel.

Ragoût d'agneau à l'indienne
Accompagnée de riz, cette préparation constitue un savoureux repas complet.

Mouton aux pois chiches

Préparation:
2 heures 30
Trempage:
12 heures

Ingrédients pour 4 à 6 personnes:

300 g de pois chiches ou de haricots blancs
500 g de mouton
50 g de beurre
4 cuillerées à soupe d'huile
un brin de romarin ou
une pincée de romarin en poudre
2 feuilles de laurier
2 gousses d'ail
1 bouquet garni
1 oignon finement haché
1 boîte de tomates pelées
2 cuillerées à soupe de persil haché
le jus de ½ ou de 1 citron
poivre
sel

Préparation:

Lavez les pois, arrosez-les de 1 ½ l d'eau bouillante et laissez-les tremper pendant 12 heures.
Egouttez les pois.

Faites cuire les légumes dans 1 l d'eau bouillante et laissez-les cuire à point.
Entre-temps, coupez la viande en morceaux.
Faites chauffer la moitié du beurre et la moitié de l'huile et faites-y dorer la viande de tous les côtés.
Relevez de romarin, de laurier, d'ail et ajoutez le bouquet garni.
Faites revenir l'oignon dans le reste du beurre et de l'huile; ajoutez-le à la préparation.
Laissez égoutter les légumes et les tomates.
Coupez les tomates en petits morceaux et ajoutez-les à la viande ainsi que les pois.
Mélangez bien le tout.
Laissez reprendre l'ébullition, réduisez l'intensité de la source de chaleur au minimum et couvrez la casserole.
Laissez cuire pendant environ 30 minutes, jusqu'à ce que les légumes et la viande soient bien cuits.
En cours de cuisson, allongez de temps à autre le jus de cuisson d'un peu d'eau chaude afin que la viande n'attache pas au fond de la casserole, et que la sauce reste onctueuse.
Saupoudrez de persil et relevez à volonté de jus de citron, de poivre et, éventuellement, de sel.

Mouton aux pois chiches
Ce plat turc peut très bien être préparé dans un autocuiseur.

Mouton aux épinards et au fromage
Pour varier, remplacez le mouton par du porc ou de l'agneau.

Mouton aux épinards et au fromage

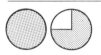

Préparation: 1 heure 45
Trempage: 12 heures

Ingrédients pour 4 personnes:
200 g d'épinards
300 g de viande de mouton maigre
50 g de pois chiches ou de haricots
poivre et sel
80 g de beurre
4 cuillerées à soupe d'huile d'olive
1 oignon moyen finement haché
2 cuillerées à soupe de sauce tomate
une pincée de piment en poudre
beurre pour le plat de cuisson
3 cuillerées à soupe de fromage râpé
4 cuillerées à soupe de chapelure
2 œufs

Principaux ustensiles de cuisine:
passoire, plat à four, four (260 °C)

Préparation:
Lavez les pois chiches, plongez-les dans de l'eau bouillante et laissez-les tremper pendant une nuit. Le lendemain, faites-les cuire dans leur eau de trempage, puis, égouttez-les.
Entre-temps, lavez les épinards à l'eau cou-rante. Ne les égouttez pas mais faites-les cuire immédiatement.
Coupez la viande en morceaux d'égale gran-deur, poivrez-la et salez-la. Faites chauffer 50 g de beurre dans une casserole suffisam-ment grande pour que les morceaux de viande puissent être placés côte à côte. Faites-y fondre les oignons, puis faites-y dorer uniformément les morceaux de viande.
Ajoutez à la préparation la sauce tomate et le piment ainsi qu'une quantité suffisante d'eau froide pour couvrir la viande. Mélangez le tout jusqu'à ce que l'ébullition reprenne, couvrez la casserole et laissez cuire à feu doux pendant une demi-heure. Ajoutez les légumes, tournez de temps à autre et ajoutez, si nécessaire, un peu d'eau chaude.
Beurrez un plat à four. Glissez la grille au milieu du four et préchauffez celui-ci.
Ajoutez les épinards, le fromage, la chapelure et le reste du beurre à la viande.
Battez les œufs et incorporez-les dans la prépa-ration. Relevez de sel et versez le tout dans le plat à four. Egalisez le dessus, mettez au four et laissez cuire jusqu'à ce que les œufs soient pris et le gratin bien chaud. Pour vérifier la cuisson, enfoncez une aiguille à tricoter dans le plat. Elle doit en ressortir sèche.

Les poissons et les crustacés

Cuisses de grenouilles à l'indienne
Crevettes au riz à l'indienne
Crevettes au riz à la japonaise
Langoustines à la japonaise
Tempura
Friture de langoustines et de légumes
Langoustines à l'aigre-doux
Truite Shanghai
Salade de poissons au concombre
Brème farcie
Cabillaud aux petits légumes
Kedgeree
Cabillaud à l'indienne
Sardines farcies
Moussaka de poisson israélienne
Filets de sole au yaourt
Gâteaux de poisson à la thaïlandaise
Filets de sole bengalis
Roulades de poisson
Sole à la mode du Cachemire

Cuisses de grenouilles à l'indienne

Préparation: 45 minutes
Trempage: 1 à 2 heures

Ingrédients pour 4 personnes:
12 paires de cuisses de grenouilles
1 dl de lait
120 g de beurre
300 g de riz
sel
6 dl de bouillon, frais ou de cubes
2 cuillerées à soupe de farine
une bonne pincée de curry
⅛ l de lait concentré ou
moitié crème fraîche
moitié lait
100 g de gouda vieux ou de parmesan râpé

Principaux ustensiles de cuisine:
tamis ou passoire, moule à savarin d'une contenance de 1 ½ l environ

Cuisses de grenouilles à l'indienne
Une façon attrayante de présenter ces cuisses de grenouilles nappées d'une sauce à la crème.

Préparation:
Couvrez les cuisses de grenouilles d'eau tiède. Ajoutez le lait et laissez-les tremper pendant 1 à 2 heures.

Faites fondre la moitié du beurre et faites-y dorer le riz, en remuant fréquemment. Salez. Portez le bouillon à ébullition et versez-le sur le riz. Laissez reprendre l'ébullition, couvrez la casserole et laissez cuire le riz à tout petit feu. Egouttez les cuisses de grenouilles dans le tamis ou la passoire. Essuyez-les avec du papier absorbant.
Faites chauffer le reste du beurre.
Mélangez la farine et le curry, passez les cuisses de grenouilles dans ce mélange.
Laissez-les dorer lentement de tous les côtés, puis arrosez-les avec la crème et laissez la cuisson s'achever.
Beurrez le moule.
Retirez le riz de la casserole à l'aide d'une fourchette afin de ne pas écraser les grains. Incorporez-y le fromage râpé.
Mettez le riz au fromage dans le moule. Démoulez le riz sur un plat rincé à l'eau chaude.

Garnissez le centre de la couronne de riz avec les cuisses de grenouilles et leur sauce. Servez bien chaud, accompagné de légumes, par exemple des poireaux étuvés.

Crevettes au riz à l'indienne

Préparation: 35 minutes
Cuisson au four: 10 minutes

Ingrédients pour 4 personnes:
300 g de riz
300 à 400 g de crevettes cuites et décortiquées
100 g de beurre
1 gros oignon finement haché
1 cuillerée à soupe de curry
60 g de farine
¾ l de fumet de poisson, frais ou en sachet
poivre
sel

Principaux ustensiles de cuisine:
passoire, linge, four (190 °C)

Préparation:
Lavez soigneusement le riz et laissez-le égoutter. Portez à ébullition 6 dl d'eau salée. Versez-y le riz et ramenez à ébullition en tournant. Couvrez la casserole et laissez cuire le riz à feu très doux pendant environ 15 minutes.

Lavez les crevettes à l'eau tiède ou laissez égoutter les crevettes en boîte, après les avoir rincées à l'eau courante.
Faites fondre le beurre et faites-y revenir l'oignon. Ajoutez le curry et faites revenir le tout en veillant à ce que ces ingrédients ne brûlent pas.

Préchauffez le four.
Incorporez la farine au beurre de cuisson des oignons, puis versez-y peu à peu le bouillon, en tournant constamment jusqu'à obtention d'une sauce bien liée. Laissez cuire cette sauce pendant quelques instants.
Déposez le linge sur une lèchefrite ou sur un plat à four. Répartissez-y uniformément le riz. Glissez le tout au milieu du four. Mettez les crevettes dans la sauce. Relevez-la de poivre et, éventuellement, de sel.

Vérifiez la cuisson du riz. Disposez-le sur un plat de service.
Garnissez des crevettes en sauce ou servez celles-ci à part.

Crevettes au riz à la japonaise

Préparation: 45 minutes

Ingrédients pour 4 personnes:

300 g de riz, sel
250 g de crevettes fraîches décortiquées
300 g d'épinards lavés
5 cuillerées à soupe d'huile
4 carottes coupées en rondelles
3 petits oignons ou échalotes hachés
4 cuillerées à soupe de sauce de soja
1 cuillerée à café de sucre

Préparation:

Lavez le riz et portez 1 l d'eau salée à ébullition. Ajoutez-y le riz et laissez reprendre l'ébullition en tournant. Laissez cuire 15 à 18 minutes à feu doux. Lavez les crevettes et hachez grossièrement les épinards. Faites chauffer l'huile. Faites-y frire les crevettes, puis, étuvez les épinards. Incorporez-y les carottes, la sauce de soja et le sucre.

Egouttez le riz. Lorsque les crevettes et les légumes ont cuit 5 à 8 minutes, ajoutez-y le riz et laissez réchauffer le tout. Vérifiez le degré de cuisson du riz et servez immédiatement.

Crevettes au riz à l'indienne
Un délicieux mets qui ne demande pas de longues préparations.

Langoustines à la japonaise

Préparation: 45 minutes

Ingrédients pour 4 personnes:
300 g de riz
sel
250 g de scampi ou
12 langoustines
1 œuf
80 g de farine
environ 1 ½ dl de lait
3 cuillerées à soupe de sauce de soja
1 cuillerée à café de sucre
3 cuillerées à soupe de marsala ou
de xérès doux

Principaux ustensiles de cuisine:
tamis ou passoire, friteuse (190 °C), écumoire, papier absorbant

Préparation:
Lavez le riz à l'eau courante. Portez à ébullition 6 dl d'eau salée. Mettez-y le riz et tournez dans la casserole jusqu'à ce que l'ébullition reprenne. Couvrez la casserole, réduisez l'intensité de la source de chaleur au minimum et laissez s'achever la cuisson du riz.

Décortiquez les crustacés et incisez-les sur le dos et sur le ventre, afin qu'ils gardent bien leur forme en cuisant. Lavez-les, laissez-les égoutter ou séchez-les avec du papier absorbant.
Battez l'œuf avec la farine et ajoutez la quantité nécessaire de lait pour obtenir une pâte légèrement fluide. Relevez d'un peu de sauce de soja. Faites chauffer la friture. Tournez les crustacés dans la pâte à frire, laissez égoutter le surplus de pâte et faites-les dorer dans la friture. Retirez-les de la friteuse avec une écumoire et laissez-les égoutter sur du papier absorbant.

Mélangez le sucre, le vin et la sauce de soja. Disposez le riz cuit sur un plat de service en vous aidant d'une fourchette afin de ne pas écraser les grains.
Garnissez-le avec les crustacés et nappez de sauce.

Langoustines à la japonaise
Quelques phases de la préparation.
De gauche à droite et de haut en bas:
Brisez la carapace des crustacés derrière la tête.
Décortiquez les crustacés. Incisez-les sur le dos et sur le ventre. Tournez les crustacés dans la pâte. Faites-les frire et laissez-les égoutter. Disposez-les sur le riz.

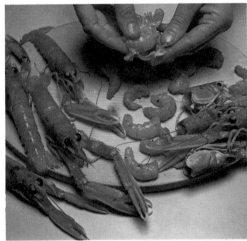

Tempura

Préparation: 45 minutes

Principaux ustensiles de cuisine:
friteuse (190 °C), papier absorbant

Préparation:
Lavez le poisson et les crevettes. Coupez le poisson en morceaux de 3 à 4 cm et séchez-le soigneusement avec du papier absorbant. Saupoudrez les légumes d'un peu de sel, laissez-les macérer quelque temps et séchez-les.
Battez l'œuf avec la farine et ajoutez-y environ 2 dl d'eau. Relevez d'un peu de sauce de soja. Faites chauffer l'huile. Passez les morceaux de poisson, les crevettes et les légumes dans la pâte. Faites-les frire dans l'huile, puis laissez-les égoutter sur du papier absorbant.

Battez un peu de sauce de soja et de saké, ajoutez-y le sucre, le gingembre, le radis noir ou le raifort, mélangez et allongez avec la sauce de soja et le saké.

Ingrédients pour 4 personnes:
200 g de filets de sole
200 g de crevettes cuites et décortiquées
300 g de filets de baudroie, de merlan ou de maquereau
1 aubergine coupée en lanières
1 grosse carotte coupée en bâtonnets
½ céleri-rave coupé en fines tranches
2 artichauts coupés en lanières
1 gros œuf ou 1 œuf et 1 jaune d'œuf
120 g de farine, 4 cuillerées à soupe de sauce de soja, 4 cuillerées à soupe de saké
3 cuillerées à café de sucre
2 cuillerées à café de gingembre en poudre
3 cuillerées à soupe de radis noir râpé ou un peu moins de raifort râpé

Langoustines à la japonaise
Les amateurs de crustacés apprécieront ce plat.

Tempura
Au Japon, dans les restaurants où l'on sert le tempura, ce mets est préparé à table, sur de petits réchauds. Les convives ne mélangent pas les ingrédients, mais les mangent séparément, après les avoir trempés dans une sauce. Les poissons et les légumes varient avec les saisons.
La cuisine japonaise est régie par des traditions séculaires. Ses recettes sont riches en légumes et en fruits frais ou secs. Les crustacés, les légumes et le poisson sont souvent passés dans une pâte à frire et cuits à l'huile. Les Japonais consomment également le poisson cru. Les plats sont souvent servis avec une sauce à base de soja ou d'algues.

Friture de langoustines et de légumes

Préparation: 30 à 45 minutes

Principaux ustensiles de cuisine:
friteuse (190 °C), écumoire, papier absorbant

Ingrédients pour 4 personnes:
6 langoustines par personne
1 poivron vert coupé en fines lanières
1 aubergine coupée en fines rondelles
3 carottes coupées en bâtonnets
200 g de haricots verts nettoyés et coupés en morceaux
1 gros œuf ou 1 œuf et 1 jaune d'œuf
120 g de farine
2 ½ dl de bouillon de 1 cube
4 cuillerées à soupe de sauce de soja
2 cuillerées à café de sucre
4 cuillerées à soupe de xérès doux
gingembre émincé, radis noir ou raifort râpé

Préparation:
Décortiquez, lavez et séchez les langoustines et les légumes. Battez l'œuf avec la farine et de l'eau jusqu'à obtention d'une pâte qui soit légèrement fluide. Faites chauffer la friture.
Passez les langoustines et les légumes dans la pâte, laissez égoutter le surplus de pâte et faites-les cuire dans la friture. Laissez-les égoutter sur du papier absorbant puis disposez-les sur un plat de service.
Mélangez le bouillon, le sucre, la sauce de soja et le xérès; servez cette sauce avec les langoustines et les légumes frits.
Présentez le gingembre et le radis noir ou le raifort à part.

Friture de langoustines et de légumes
Cette délicieuse recette japonaise, accompagnée de riz, constitue un agréable repas complet.
Quelques phases de la préparation.
De gauche à droite: Décortiquez les langoustines.
Lavez les légumes, nettoyez-les et coupez-les en bâtonnets, en lanières ou en fines rondelles.
Passez les langoustines dans la pâte et faites-les frire.
Passez également les légumes dans la pâte avant de les frire.
Laissez les légumes dans la friture jusqu'à ce qu'ils soient dorés et cuits.
Retirez les légumes de la friture à l'aide d'une écumoire et servez-les avec les langoustines.

Langoustines à l'aigre-doux
Accompagné d'une salade de concombre ou de riz sauté aux champignons, ce mets constitue un excellent repas.

Langoustines à l'aigre-doux

Préparation: 45 minutes

Ingrédients pour 4 personnes:
16 langoustines
poivre, sel
6 cuillerées à café de fécule de maïs
1 concombre, 1 bouquet de persil
3 cuillerées à soupe de sauce de soja
2 cuillerées à soupe de vinaigre
1 cuillerée à soupe de vin blanc sec
1 cuillerée à soupe de sucre
une bonne pincée de ve-tsin
3 cuillerées à soupe d'huile

Principaux ustensiles de cuisine:
tamis, friteuse (190 °C), papier absorbant

Préparation:
Décortiquez et lavez les langoustines. Incisez le dos et le ventre avec un couteau tranchant afin qu'elles ne se recroquevillent pas lors de la cuisson et laissez-les égoutter.
Saupoudrez-les de poivre, de sel et de 4 cuillerées à café de fécule de maïs. Tournez-les dans la fécule. Amenez la friture à 190 °C.

Faites-y cuire les langoustines et laissez-les égoutter sur du papier absorbant ou sur des serviettes en papier.
Epluchez le concombre et coupez-le en fines rondelles
Délayez le reste de la fécule de maïs dans la sauce de soja. Allongez ce mélange avec du vinaigre et du vin, et relevez de sucre et de ve-tsin.

Faites chauffer l'huile dans un poêlon et ajoutez-y le mélange de sauce de soja et de fécule. Procédez précautionneusement pour éviter les éclaboussures. Laissez cuire quelques instants pour lier la sauce. Réchauffez les langoustines dans cette sauce. Servez-les chaudes; garnissez le plat de service de rondelles de concombre et de persil. Accompagnez de riz.

Vous pouvez éventuellement remplacer le concombre par des champignons coupés en tranches et sautés. Choisissez de préférence des champignons foncés que vous trouverez frais sur le marché à certaines saisons, ou des champignons chinois, déshydratés ou en conserve, vendus dans les magasins spécialisés en alimentation orientale.

Langoustines à l'aigre-doux
Quelques phases de la préparation. De haut en bas: Séparez la tête et le corps des langoustines. Incisez le dos et le ventre des langoustines.

Truite Shanghai

Préparation: 1 heure 15

Ingrédients pour 4 personnes:
1 truite d'environ 1 kg
100 g de crevettes cuites et décortiquées
100 g de champignons
50 g de jambon maigre
6 châtaignes d'eau (en boîte)
3 échalotes ou 1 oignon
1 cuillerée à soupe de persil haché
4 cuillerées à soupe de fécule de maïs
8 cuillerées à soupe d'huile
2 cuillerées à soupe d'eau glacée
poivre, sel
1 cuillerée à soupe de sauce de soja
2 cuillerées à soupe de vin blanc sec
2 cuillerées à soupe de gingembre coupé en très petits morceaux
1 cuillerée à soupe de sucre

Principaux ustensiles de cuisine:
couteau bien aiguisé, piques à cocktail

Préparation:
Lavez la truite à l'eau courante. Incisez le ven-tre. Retirez les viscères et frottez la cavité d'un peu de sel. Ouvrez le poisson dans le sens de la longueur. Enlevez l'arête centrale et les fines arêtes latérales. Coupez la tête du poisson et mettez-la au réfrigérateur. Déposez la truite sur une planche en bois. Appuyez fermement le poisson contre la planche et détachez la chair de la peau sans abîmer celle-ci. Coupez la chair en petits morceaux, éventuellement avec des ciseaux de cuisine, et mettez-les dans une terrine.

Coupez les crevettes en petits morceaux et ajoutez-les au poisson.

Lavez les champignons et hachez-les.

Coupez le jambon, les châtaignes et les échalo-tes en petits morceaux. Ajoutez tous ces ingré-dients au poisson et aux crevettes. Incorporez-y aussi la fécule de maïs, 1 cuillerée à soupe d'huile et l'eau glacée. Mélangez bien le tout et relevez à volonté de poivre et de sel.

Répartissez cette farce, dans le sens de la lon-gueur, sur une des moitiés de la peau. Rabattez l'autre moitié de peau sur la farce et refermez la truite avec les piques à cocktail. Faites chauffer le reste de l'huile dans une poêle. Pas-sez délicatement la truite et sa tête dans le reste de la fécule de maïs. Mettez-les dans la poêle

Truite Shanghai
Une truite farcie qui étonnera vos convives et qui n'est pas tellement compliquée à préparer.

76

et laissez frire pendant environ 5 minutes. Tournez ensuite la truite et la tête précautionneusement avec une spatule et laissez frire l'autre côté aussi pendant 5 minutes.
Pendant que le deuxième côté cuit, mélangez la sauce de soja, le vin, le gingembre et le sucre.

Tournez jusqu'à ce que le sucre soit délayé dans le mélange, puis versez le tout sur le poisson. Prolongez la cuisson à tout petit feu pendant un quart d'heure, jusqu'à ce que la farce soit complètement cuite. Retirez les piques à cocktail et servez bien chaud.

Salade de poissons au concombre

Préparation: 40 minutes
Temps de repos: 50 minutes

Ingrédients pour 4 personnes:
250 g de filets de truite ou de sole
1 cuillerée à café d'huile, sel
2 concombres, 2 cuillerées à café de sucre
4 cuillerées à soupe de sauce de soja
4 cuillerées à soupe de vinaigre de vin
une bonne pincée de gingembre en poudre

Principaux ustensiles de cuisine:
râpe à légumes, tamis

Préparation:
Faites cuire les filets dans un fond d'eau additionnée d'huile et de sel. Laissez pocher le poisson pendant 5 à 10 minutes.
Entre-temps, lavez et séchez les concombres.

Coupez-les en très fines tranches avec la râpe et déposez-les dans un saladier. Pressez les concombres à l'aide d'une carafe remplie d'eau pour les faire dégorger.
Mettez le poisson dans le tamis. Laissez-le bien égoutter. Mélangez la sauce de soja et le vinaigre, et délayez-y le sucre. Délayez le gingembre dans 1 cuillerée à soupe de l'eau de cuisson refroidie du poisson. Ajoutez ce mélange à la sauce de soja et versez le tout sur le poisson. Mélangez et laissez reposer pendant une demi-heure au moins.
Laissez égoutter les concombres dans une passoire en appuyant de temps à autre sur les tranches, afin de leur faire rendre encore un peu d'eau. Ajoutez-les ensuite au poisson et mettez la salade au réfrigérateur.

Servez cette salade avec des crackers à l'apéritif ou comme hors-d'œuvre.

Truite Shanghai
Quelques phases de la préparation.
De gauche à droite: Retirez délicatement les arêtes.
Enlevez la chair du poisson sans abîmer la peau. Répartissez la farce sur une moitié de la peau.
Rabattez l'autre moitié de peau sur la farce et attachez le tout avec des piques en cocktail. Arrosez le poisson de sauce.

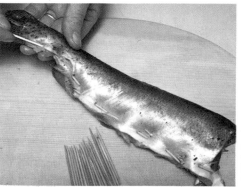

Brème farcie

Ce poisson et ces pommes de terre cuits au four raviront vos invités.

Brème farcie

Préparation: 30 minutes
Cuisson au four:
1 heure

Ingrédients pour 4 personnes:
1 brème nettoyée de 1 kg
poivre, sel
2 œufs durs écalés, 1 œuf frais
1 cuillerée à soupe de persil haché
1 cuillerée à soupe de chapelure
2 cuillerées à soupe de gouda vieux ou
de parmesan râpé
2 cuillerées à soupe d'oignon finement haché
1 gousse d'ail pressée
5 cuillerées à soupe d'huile d'olive
1 cuillerée à soupe de câpres
600 à 800 g de pommes de terre épluchées
une pincée de safran ou de curry

Principaux ustensiles de cuisine:
piques à cocktail, plat à four, four (200 °C)

Préparation:
Badigeonnez le plat à four d'huile.

Lavez et séchez le poisson. Saupoudrez l'intérieur et l'extérieur de poivre et de sel.
Ecrasez les œufs et ajoutez-y le persil, la chapelure, le fromage, l'oignon et l'ail.
Incorporez-y l'œuf frais et 2 cuillerées à soupe d'huile, ainsi que les câpres. Relevez cette farce, selon le goût.
Glissez la grille au milieu du four et préchauffez celui-ci.
Farcissez le poisson et fermez-le avec des piques à cocktail. Déposez le poisson farci dans le plat à four.
Coupez les pommes de terre en tranches et disposez-les autour du poisson.
Salez et poivrez.
Délayez le safran (ou les autres épices) dans le reste de l'huile, ajoutez 2 dl d'eau et du sel; versez le tout sur le poisson et les pommes de terre.

Glissez le plat dans le four. Arrosez de temps à autre le poisson avec un peu de jus de cuisson. Arrosez également les pommes de terre de jus de cuisson. Laissez cuire et dorer au four.

Cabillaud aux petits légumes

Préparation: 1 heure 20

Ingrédients pour 4 personnes:

1 kg de cabillaud (une queue par exemple)
1 poireau et 1 poivron vert coupés en julienne
1 gousse d'ail pressée
2 cuillerées à soupe de persil haché
poivre, sel, 1 dl d'huile
2 oignons moyens finement hachés
3 carottes moyennes coupées en rondelles
½ chou-fleur partagé en bouquets
quelques feuilles de chou coupées en morceaux
2 cuillerées à soupe de purée de tomates
6 dl de fumet de poisson, 300 g de riz

Préparation:

Lavez le poisson, retirez-en les arêtes. Coupez-le en quatre morceaux d'égale grandeur. Aplatissez les morceaux de poisson. Mélangez le poireau, le poivron, l'ail, le persil, quelques cuillerées à soupe d'huile ainsi que du sel et du poivre. Répartissez ce mélange sur les morceaux de poisson et repliez-les sur la farce. Faites dorer l'oignon. Ajoutez les carottes, le chou-fleur, le chou et la purée de tomates. Faites chauffer le fumet et arrosez les légumes avec la moitié de celui-ci. Faites blanchir les légumes. Retirez-les de la casserole. Versez le riz dans le reste du fumet et laissez reprendre l'ébullition. Laissez cuire à feu doux pendant 15 minutes. Déposez ensuite délicatement les morceaux de poisson sur le riz. Poursuivez la cuisson jusqu'à ce que le riz et le poisson soient cuits. Réchauffez les légumes avec le reste des ingrédients.

Disposez le poisson et les légumes sur un plat de service et accompagnez de riz.

Cabillaud aux petits légumes
L'accompagnement du cabillaud contient entre autres des carottes, du chou-fleur, du chou et du riz.

Kedgeree

Cette recette de riz au poisson, originaire d'Inde, est un exemple réussi d'adaptation au goût occidental.

Kedgeree

Préparation: 1 heure 10

Ingrédients pour 4 personnes:

500 g de cabillaud ou de maquereau fumé
3 cuillerées à soupe d'huile
2 oignons moyens hachés
300 g de riz
1 cuillerée à café de curry
50 g de beurre
1 œuf
2 cuillerées à soupe de persil haché
2 œufs durs
persil pour la garniture
poivre
sel

Préparation:

Lavez le poisson à l'eau courante chaude. Mettez-le dans une casserole et recouvrez-le d'eau bouillante. Laissez frémir pendant 10 minutes, puis, sortez le poisson de la casserole. Enlevez les arêtes et la peau et écrasez le poisson à la fourchette.

Faites chauffer l'huile et faites-y revenir l'oignon.

Lavez et séchez le riz; laissez-le rapidement revenir dans l'huile avec l'oignon.

Allongez le jus de cuisson du poisson avec de l'eau chaude jusqu'à obtention de 6 dl de liquide. Versez le jus allongé sur le riz.

Délayez le curry dans un peu d'eau et ajoutez-le également au riz.

Portez le tout à ébullition en tournant.

Couvrez, réduisez l'intensité de la source de chaleur et laissez cuire le riz à feu doux.

Battez le beurre, le persil et le poisson écrasé en un mélange onctueux. Mettez ce mélange au-dessus du riz et laissez-le réchauffer.

Mélangez délicatement le poisson et le riz à l'aide d'une grande fourchette, sans écraser les grains de riz.

Rectifiez éventuellement l'assaisonnement en poivre et en sel.

Coupez les œufs en rondelles, disposez le riz sur un plat de service préchauffé et garnissez de rondelles d'œuf dur et de persil.

Cabillaud à l'indienne

Préparation: 1 heure

Cabillaud à l'indienne
Cette préparation délicatement aromatisée, à base de cabillaud, s'accompagne de lentilles et de tomates étuvées. Quelques phases de la préparation. De gauche à droite: Ajoutez le poisson aux oignons rissolés. Ajoutez le riz au poisson et réchauffez soigneusement tous les ingrédients.

Ingrédients pour 4 personnes:
800 à 1 000 g de cabillaud
1 oignon grossièrement haché
1 gousse d'ail pressée
2 oignons moyens finement hachés
poivre
sel
300 g de riz
80 g de beurre
1 cuillerée à café de curcuma
ou un mélange de curry et de gingembre
1 poivron vert coupé en julienne
½ piment très finement haché
rondelles d'œuf dur

Principal ustensile de cuisine:
tamis

Préparation:
Nettoyez soigneusement le poisson, lavez-le et mettez-le dans une casserole avec l'oignon, le poivre et le sel.
Recouvrez le poisson d'eau.
Faites-le pocher, puis laissez-le égoutter dans un tamis.
Retirez la peau et les arêtes et coupez le poisson en morceaux de même grandeur.
Portez 6 dl d'eau salée à ébullition.
Lavez le riz.
Versez le riz dans l'eau en tournant et continuez à tourner jusqu'à ce que l'ébullition reprenne.
Couvrez la casserole contenant le riz, réduisez l'intensité de la source de chaleur et laissez cuire à feu doux.
Faites chauffer le beurre et faites-y fondre l'oignon.
Ajoutez-y l'ail, le curcuma et les morceaux de poisson.
Incorporez-y le riz, le poivron et le piment.
Laissez cuire à tout petit feu pendant 5 à 10 minutes.
Rectifiez éventuellement l'assaisonnement en poivre et en sel.
Décorez de rondelles d'œuf.
Accompagnez de lentilles cuites à l'eau salée ou au bouillon.
Dans ce cas ne prévoyez que 200 g de riz.
Quelques tomates étuvées transformeront ce plat en un savoureux repas complet.

Sardines farcies

Préparation:
1 heure 10

Ingrédients pour 4 personnes:
600 g de sardines fraîches ou de merlans
poivre et sel
1 oignon moyen finement haché
1 œuf dur écalé
1 cuillerée à soupe de persil haché
50 g de fromage vieux râpé
2 œufs frais, farine

Principal ustensile de cuisine:
friteuse (170 °C)

Préparation:
Nettoyez les poissons, coupez-en la tête et incisez-en le ventre sur toute la longueur. Lavez et videz les poissons. Enlevez l'arête centrale, et saupoudrez l'intérieur et l'extérieur de sel et de poivre.

Faites cuire 2 sardines dans un fond d'eau. Ecrasez-les et incorporez-y les morceaux d'oignon.

Ecrasez l'œuf très finement à la fourchette et incorporez-y le persil et le fromage. Incorporez le tout au mélange de poisson et d'oignon.

Aplatissez les sardines sur une planche en bois. Répartissez la farce sur une des moitiés des poissons. Rabattez l'autre moitié sur la farce et faites bien adhérer.

Faites chauffer la friture.

Battez les œufs avec 1 cuillerée à soupe d'eau et un peu de sel. Passez les sardines dans ce mélange, puis dans la farine et faites-les frire.

Laissez-les égoutter sur du papier absorbant et accompagnez de rondelles de citron.

Sardines farcies
Une recette arabe qui ne manque pas de caractère.
Quelques phases de la préparation.
De haut en bas: Ajoutez l'œuf écrasé, le persil et le fromage au mélange de sardines et d'oignon.
Farcissez les autres sardines avec cette préparation.
Faites cuire les sardines, passées au préalable dans l'œuf et la farine, dans une friture chaude.

Moussaka de poisson israélienne
Cette délicieuse préparation de poisson et d'aubergines frites peut être préparée la veille. Il suffit alors de la passer au four juste avant de servir.

Moussaka de poisson israélienne

Préparation: 45 minutes
Cuisson au four:
25 à 30 minutes

Ingrédients pour 4 personnes:
8 filets de plie ou d'un autre poisson, frais ou surgelé
300 g de riz
1 grosse ou 2 petites aubergines
farine, poivre, sel
1 dl d'huile d'olive
2 gousses d'ail hachées
1 cuillerée à soupe de persil haché
1 œuf
3 cuillerées à soupe de purée de tomates
2 cuillerées à soupe de jus de citron
une pincée de graines de carvi en poudre

Principaux ustensiles de cuisine:
plat à four, four (260 °C)

Préparation:
Lavez les filets et séchez-les avec du papier absorbant. Laissez-les dégeler si vous utilisez du poisson surgelé. Portez 6 dl d'eau salée à ébullition. Lavez le riz, mettez-le dans l'eau et tournez dans la casserole jusqu'à ce que l'ébullition reprenne. Couvrez la casserole, réduisez l'intensité de la source de chaleur et laissez cuire le riz tout doucement.

Lavez et séchez les aubergines, coupez-les, dans le sens de la longueur, en tranches de ½ cm d'épaisseur. Salez-les. Mélangez du poivre et du sel à la farine.

Faites chauffer l'huile, tournez le poisson dans la farine et faites-le frire de part et d'autre. Passez également les tranches d'aubergine dans la farine et faites-les frire de part et d'autre.

Glissez la grille au milieu du four et préchauffez celui-ci.

Beurrez un plat à four.

Versez le riz dans le plat et disposez l'ail, le poisson, les aubergines et le persil sur le riz. Salez et poivrez.

Battez l'œuf avec 3 cuillerées à soupe d'eau, la purée de tomates, le jus de citron, le carvi, du poivre et du sel. Nappez le poisson et les légumes de cette sauce.

Mettez le plat au four et faites dorer.

Filets de sole au yaourt

Préparation: 15 minutes
Cuisson au four: 25 à 30 minutes

Ingrédients pour 4 personnes:

8 filets de sole, d'églefin ou de merlan
½ l de yaourt maigre, 2 gousses d'ail
2 morceaux de gingembre
4 cuillerées à café de curry
une bonne pincée de poivre de Cayenne ou
une pincée de piment haché
une bonne pincée de curcuma ou de safran
une bonne pincée de marjolaine
¼ d'oignon coupé en julienne
4 cuillerées à soupe d'huile
½ cuillerée à café de cumin

Principaux ustensiles de cuisine:

mixeur, plat à four, four (220 °C)

Filets de sole au yaourt
Une recette savoureuse et simple que vous pouvez accompagner de riz, de pommes vapeur ou de pommes de terre sautées.

Préparation:

Lavez les filets, coupez-les en deux dans le sens de la longueur. Badigeonnez d'huile un plat à four. Disposez-y les filets roulés.
Mélangez au mixeur le yaourt, l'ail, le gingembre, le curry, le poivre, le curcuma, la marjolaine et l'oignon.

Glissez la grille au milieu du four et préchauffez celui-ci.

Faites chauffer l'huile avec le cumin. Lorsque l'huile commence à prendre couleur, ajoutez-y le yaourt et laissez quelque peu bouillir.
Nappez le poisson de sauce. Mettez le plat au four et laissez bien cuire le poisson.
Accompagnez de riz à l'indienne (voir p. 141), de pommes vapeur ou de pommes de terre sautées et d'une salade de tomates.

Gâteaux de poisson à la thaïlandaise

Préparation: 25 minutes
Cuisson au four:
40 à 50 minutes

Ingrédients pour 6 personnes:
400 g de filets de sole ou de colin
2 échalotes hachées, 2 gousses d'ail hachées
8 cuillerées à soupe de chou vert coupé en fines lanières
le zeste râpé de 1 citron
une bonne pincée de paprika
2 cuillerées à soupe de pâte d'anchois
1 sachet de lait de noix de coco
poivre du moulin, sel, 1 œuf
4 à 6 cuillerées à soupe de crème fraîche
beurre pour les moules

Principaux ustensiles de cuisine:
mixeur, four (180 °C), 12 à 15 petits moules à flan

Préparation:
Lavez le poisson. Mettez-le dans un récipient avec les échalotes, l'ail, le chou, le zeste de citron, le paprika et la pâte d'anchois. Préparez le lait de noix de coco en suivant les indications de l'emballage et ajoutez 2 ½ dl de ce lait, du poivre, du sel, l'œuf et 2 cuillerées à soupe de crème au poisson. Passez brièvement l'ensemble des ingrédients au mixeur.
Beurrez les moules et préchauffez le four.
Goûtez la préparation. Ajoutez-y encore un peu de crème si elle est trop consistante. Rectifiez l'assaisonnement. Remplissez les moules. Disposez-les sur la plaque du four et glissez-la un peu au-dessous du milieu du four.
Pour vérifier si la préparation est cuite, enfoncez une pique à cocktail dans un des moules. Si elle en ressort sèche, vous pouvez arrêter la cuisson. Démoulez les gâteaux de poisson et servez-les.

Gâteaux de poisson à la thaïlandaise
Ces petits gâteaux, servis après le potage, constituent une entrée chaude originale pour un repas de fête.
Quelques phases de la préparation. De haut en bas: Hachez le poisson ou passez-le au mixeur. Ajoutez-y les légumes. Remplissez les moules avec la préparation au poisson.

Filets de sole bengalis

Préparation: 1 heure

Ingrédients pour 4 personnes:
*6 grands filets de sole ou de plie, frais ou
surgelés
poivre
sel
1 petit oignon grossièrement émincé
quelques brins de persil
1 gousse d'ail pressée
1 petit oignon très finement émincé
3 tomates pelées (éventuellement en boîte)
une pincée de cannelle
jus de citron
2 œufs
chapelure*

Principaux ustensiles de cuisine:
tamis, fil de cuisine, friteuse (170 °C), écumoire, papier absorbant

Préparation:
Laissez dégeler les filets surgelés.
Lavez les filets et séchez les 4 plus grands;
réservez-les.
Faites pocher les autres filets dans un fond
d'eau additionnée de sel, de poivre, d'oignon
et de persil.

Lorsque le poisson est cuit, laissez-le égoutter
dans un tamis.
Ensuite, écrasez-le à la fourchette et
incorporez-y l'ail et l'oignon.
Coupez les tomates en morceaux, épépinez-les
et coupez-les en morceaux plus petits. Relevez
les tomates de cannelle, de poivre et de sel.
Ajoutez-y le poisson poché.
Goûtez le mélange et assaisonnez-le de jus de
citron, de poivre et éventuellement de sel.
Répartissez ce mélange sur les filets que vous
avez réservés, pliez-les sur la farce et attachez
le tout avec du fil.
Faites chauffer la friture.

Battez les œufs avec 1 cuillerée à soupe d'eau
et un peu de sel.
Passez les filets farcis dans l'œuf, laissez
égoutter le surplus d'œuf, puis dans la chapelure. Faites-la bien adhérer avec la paume de la
main.
Faites frire les filets un à un, ou deux par deux.
La cuisson doit être assez lente. Retournez de
temps en temps les filets en cours de cuisson.
Sortez-les de la friture, laissez-les égoutter,
puis placez-les sur du papier absorbant. Retirez précautionneusement les fils.
Servez immédiatement sur une garniture de
feuilles de laitue et accompagnez de rondelles
de tomates.

Filets de sole bengalis
*Une recette savoureuse qui peut servir
de repas léger ou faire partie d'un
repas plus copieux. Vous pouvez alors
l'accompagner d'une friture de légumes, par exemple, d'aubergines, d'artichauts, de céleri blanc et de fenouil.*

Roulades de poisson

Préparation: 1 heure

Ingrédients pour 4 personnes:
*10 filets de sole ou d'un autre poisson
jus de citron
sel
2 oignons hachés
1 gousse d'ail finement hachée
½ cuillerée à café de cannelle
poivre
2 œufs
chapelure*

Principaux ustensiles de cuisine:
tamis, piques à cocktail ou fil de cuisine, friteuse (170 °C), écumoire, papier absorbant ou
serviettes en papier

Préparation:
Lavez et séchez les filets. Réservez-en 8 et
pochez les autres dans un fond d'eau additionnée de jus de citron et de sel. Laissez-les bien
égoutter et écrasez-les. Mélangez-y les
oignons, l'ail, la cannelle, le poivre et le sel.
Répartissez ce mélange sur les 8 filets réservés.
Enroulez-les ou pliez-les. Attachez les roulades
avec du fil ou des piques à cocktail.

Faites chauffer la friture à 170 °C.

Battez les œufs avec 1 cuillerée à soupe d'eau,
du poivre et du sel.
Passez les roulades de poisson dans
l'œuf, puis dans la chapelure et faites-les frire.

Retirez les piques ou les fils et servez avec une
salade et du riz au curry, par exemple.

Sole à la mode du Cachemire
Une recette légère dont l'exotisme est souligné par la saveur du cumin.

Sole à la mode du Cachemire

Préparation: 20 minutes

Ingrédients pour 4 personnes:
8 filets de sole ou
d'un autre poisson de mer ou
4 soles nettoyées, fraîches ou surgelées
80 g de beurre
2 gousses d'ail pressées
½ cuillerée à café de cumin
poivre du moulin
sel
1 pot de crème aigre ou
de yaourt
1 ½ dl de lait
rondelles de citron

Préparation:
Lavez le poisson ou laissez-le dégeler. Faites fondre le beurre dans une poêle.

Mélangez l'ail, le cumin, le poivre et le sel; saupoudrez le poisson de ce mélange.

Mettez-le dans la poêle et laissez-le cuire lentement de part et d'autre. Le poisson peut être doré mais cette coloration n'est pas indispensable. Versez de temps à autre un peu d'eau dans la poêle.

Disposez le poisson sur un plat de service préchauffé. Mettez-le sur un chauffe-plats ou sur le couvercle retourné d'une casserole remplie d'eau bouillante.

Déglacez la poêle avec la crème et le lait. Relevez de sel, de poivre et nappez le poisson avec cette sauce. Décorez de rondelles de citron.

La volaille

Poulet à la syrienne
Poulet aux olives
Poulet rôti au safran
Curry de poulet aux fruits
Poulet aux tomates
Ragoût de poulet du Cachemire
Poulet au miel
Poulet farci
Poulet Tandoori
Poulet farci au riz et aux amandes
Poulet au riz pilaf
Pigeon au safran
Pigeon farci à l'égyptienne

Poulet à la syrienne

Ce plat complet se compose de poulet bien relevé, de pommes de terre et de légumes. Sa saveur particulière est mise en valeur par le vin blanc.

Poulet à la syrienne

Préparation:
1 heure 10

Ingrédients pour 4 personnes:
1 kg de cuisses de poulet (ou autres morceaux)
sel, poivre
8 cuillerées à soupe d'huile d'olive
4 cuillerées à soupe de vin blanc sec
2 gousses d'ail pressées

400 g d'échalotes ou de petits oignons nettoyés
2 courgettes lavées et coupées en rondelles de 1 cm
300 g de pommes de terre nouvelles ou de petites pommes de terre épluchées et lavées
40·g de beurre
une bonne pincée de cumin
une pincée de cannelle
2 petites feuilles de laurier

Préparation:

Lavez les morceaux de poulet et saupoudrez-les de sel et de poivre. Faites chauffer l'huile et faites-y dorer le poulet dorer en le retournant régulièrement.

Arrosez avec le vin et laissez doucement mijoter le tout.

Recouvrez les échalotes ou les oignons d'eau, laissez cuire 2 minutes et égouttez. Retirez le poulet de la casserole et faites revenir les oignons, les courgettes et les pommes de terre dans son jus de cuisson. Ajoutez le beurre et un peu de sel.

Remuez régulièrement le contenu de la casserole, diminuez l'intensité de la source de chaleur et remettez les morceaux de poulet dans la casserole. Relevez de cumin, de cannelle et de sel. Ajoutez pour terminer les feuilles de laurier, l'ail et un peu d'eau.

Laissez bien cuire tous les ingrédients.

Poulet aux olives

Préparation:
1 heure 30

Ingrédients pour 4 personnes:
1 poulet d'environ 1 kg
poivre du moulin, sel, 1 dl d'huile d'olive
1 cuillerée à soupe de purée de tomates
1 cuillerée à café de paprika
200 g d'olives vertes dénoyautées
ou d'olives farcies

Préparation:

Lavez le poulet et séchez-le soigneusement avec du papier absorbant. Coupez-le en 2 dans le sens de la longueur, puis en 2 ou en 3 dans le sens de la largeur. Coupez ces morceaux encore une fois en 2.

Saupoudrez les morceaux de poulet de sel et de poivre. Faites chauffer l'huile. Faites-y frire les morceaux de poulet en les retournant régulièrement.

Mélangez la purée de tomates et le paprika. Allongez ce mélange avec 2 dl d'eau chaude et versez le tout sur le poulet.

Diminuez l'intensité de la source de chaleur. Laissez égoutter les olives et ajoutez-les au poulet. Laissez mijoter la préparation jusqu'à ce que la chair du poulet se détache facilement des os.

Des pommes de terre accompagnent très bien le poulet aux olives.

Poulet aux olives
Une réelle gourmandise pour les amateurs d'olives.

Poulet rôti au safran

Préparation:
1 heure 30

Ingrédients pour 4 personnes:
1 poulet nettoyé de 1 à 1 ½ kg
½ cuillerée à café de safran
½ cuillerée à café de poivre du moulin
sel, 1 dl d'huile d'olive
500 g de pommes de terre, farine
1 ou 2 cuillerées à soupe de fécule de maïs
2 à 4 cuillerées à soupe de lait

Principal ustensile de cuisine:
grand tamis ou passoire

Préparation:
Lavez l'intérieur et l'extérieur du poulet. Séchez-le avec du papier absorbant et coupez-le en deux dans le sens de la longueur. Coupez chaque moitié en morceaux plus petits.
Mélangez le safran, le poivre et 1 cuillerée à café de sel. Saupoudrez ce mélange sur les morceaux de poulet. Faites chauffer la moitié de l'huile. Faites-y dorer les morceaux de poulet; retournez-les régulièrement.
Ajoutez suffisamment d'eau bouillante pour que les morceaux de poulet soient à moitié immergés, réglez la source de chaleur au minimum et laissez mijoter.
Entre-temps, épluchez et lavez les pommes de terre. Coupez-les en rondelles de 1 cm et séchez-les avec du papier absorbant.
Faites chauffer le reste de l'huile dans une poêle, laissez égoutter les morceaux de poulet dans le tamis ou la passoire. Roulez-les dans la farine et mettez-les dans la poêle jusqu'à ce qu'ils soient bien croustillants.
Gardez le poulet au chaud sur un plat non couvert, afin qu'il reste croustillant. Faites rissoler les pommes de terre dans la poêle.
Saupoudrez-les de sel et disposez-les autour du poulet ou servez-les à part. Délayez la fécule de maïs dans le lait et liez la sauce du poulet avec ce mélange.

Poulet rôti au safran
Accompagné d'une salade, de carottes ou d'une compote de fruits, ce plat constitue un excellent repas complet.

Curry de poulet aux fruits

Préparation:
1 heure 30

Ingrédients pour 4 personnes:
1 poulet nettoyé de 1 ¼ kg
1 cuillerée à café de curry
poivre et sel, 1 ½ dl d'huile d'olive
2 cuillerées à soupe de gingembre confit haché, le jus de 1 citron
2 poivrons rouges hachés
1 banane coupée en rondelles
2 pommes fermes coupées en dés
4 demi-pêches en lanières

fécule de maïs, sucre

Préparation:
Découpez le poulet comme pour la recette précédente. Mélangez le curry, le poivre et le sel. Saupoudrez le poulet de ce mélange d'épices. Mettez les morceaux de poulet à cuire dans l'huile. Ajoutez-y le jus de citron, 2 dl d'eau, le gingembre et le poivron. Faites chauffer la banane, les pommes et les pêches lorsque le poulet est presque cuit. Liez le jus de cuisson avec la fécule de maïs délayée dans un peu d'eau et relevez cette sauce de curry, de jus de citron, de poivre, de sucre et de sel.

Poulet aux tomates

Préparation:
1 heure 30

Ingrédients pour 4 personnes:

1 poulet nettoyé de 1 à 1 ½ kg
poivre, sel
12 cuillerées à soupe d'huile
1 oignon moyen coupé en fines lanières
75 g de jambon cru ou de campagne, coupé en dés
300 g de pommes de terre épluchées, coupées en dés
2 cuillerées à soupe de vinaigre aromatisé
une bonne pincée de pili-pili
une bonne pincée de clous de girofle en poudre
une pincée de noix de muscade râpée
2 petites feuilles de laurier
2 ½ dl de bouillon de poule (de 1 cube)
½ cuillerée à soupe de moutarde en poudre ou 1 cuillerée à soupe de moutarde
3 tomates

Préparation:

Lavez et séchez le poulet; coupez-le en morceaux. Salez et poivrez. Faites chauffer 6 cuillerées à soupe d'huile dans une poêle, faites-y fondre l'oignon, puis retirez-le de la poêle.
Faites-y dorer les morceaux de poulet de tous les côtés.
Faites chauffer le reste de l'huile, faites-y dorer le jambon et les pommes de terre. Ajoutez-y l'oignon, le vinaigre, le pili-pili, les clous de girofle, la noix de muscade et les feuilles de laurier.
Couvrez la casserole et laissez mijoter pendant 5 minutes.

Réchauffez le bouillon et versez-le sur les pommes de terre. Laissez encore mijoter 5 minutes, puis délayez la moutarde dans un peu d'eau et ajoutez ce mélange à la préparation.
Epluchez les tomates, coupez-les en deux et retirez-en les pépins.
Ajoutez les tomates aux pommes de terre, puis le contenu de la poêle, diminuez l'intensité de la source de chaleur et laissez s'achever la cuisson des pommes de terre et du poulet.

Retirez les feuilles de laurier et servez bien chaud.

Poulet aux tomates
Pour les amateurs de poulet, une recette nouvelle qu'un mélange original d'épices rend particulièrement savoureuse.

Ragoût de poulet du Cachemire

Préparation:
1 heure 15

Ingrédients pour 4 personnes:
1 poulet nettoyé coupé en morceaux
50 g de beurre
2 oignons moyens hachés
1 gousse d'ail émincée
poivre du moulin, sel
3 tomates pelées, 1 pot de crème aigre
5 cuillerées à soupe de lait
75 g d'amandes effilées

Préparation:
Lavez et séchez les morceaux de poulet.
Faites fondre le beurre et faites-y revenir les oignons et l'ail, salez et poivrez. Laissez légèrement dorer les oignons. Coupez les tomates en morceaux et épépinez-les. Ajoutez-les aux oignons.

Battez la crème et le lait; versez la moitié de ce mélange dans la préparation.

Tournez dans la casserole jusqu'à ce que les tomates soient cuites, puis introduisez-y les morceaux de poulet.

Diminuez l'intensité de la source de chaleur et laissez mijoter jusqu'à ce que le poulet soit cuit.

Tournez de temps à autre dans la préparation et versez-y peu à peu le reste du mélange de lait et de crème, puis un peu d'eau.

Goûtez la sauce et rectifiez-en éventuellement l'assaisonnement avec du poivre et du sel. Incorporez-y la moitié des amandes.

Servez le poulet dans la sauce, présenté sur un plat de service préchauffé, et parsemez-le du reste des amandes.

Ragoût de poulet du Cachemire
Ce ragoût de poulet a un goût particulièrement délicat.

Poulet au miel

Préparation: 1 heure

Ingrédients pour 4 personnes:
4 blancs de poulet (500 à 600 g au total)
sel
80 g de beurre
2 cuillerées à café de jus de citron
4 tomates pelées
1 petit oignon râpé
une bonne pincée de safran ou
de curcuma
poivre du moulin
1 ½ cuillerée à soupe de miel
une pincée de cannelle
3 cuillerées à soupe d'huile
1 cuillerée à soupe de graines de sésame
40 g d'amandes mondées et hachées

Préparation:
Lavez et séchez le poulet, salez-le et faites chauffer 50 g de beurre.
Mettez-y les blancs de poulet à dorer de part et

d'autre, arrosez-les de jus de citron, diminuez l'intensité de la source de chaleur et laissez cuire pendant 5 minutes.
Retirez le poulet de la casserole.
Coupez les tomates en morceaux et épépinez-les. Mettez-les dans le beurre de cuisson du poulet avec l'oignon, le reste du beurre, le safran, le poivre et le sel.
Tournez de temps à autre dans la préparation et laissez cuire les tomates.
Incorporez-y le miel et la cannelle ainsi que les morceaux de poulet dont vous laissez lentement s'achever la cuisson.
Faites chauffer les graines de sésame dans 1 cuillerée à soupe de miel, laissez-les légèrement roussir et ajoutez-y les morceaux d'amandes et le reste de l'huile.

Vérifiez la cuisson du poulet et goûtez la sauce. Rectifiez-en éventuellement l'assaisonnement en poivre, en sel et en jus de citron; disposez le poulet sur un plat de service.
Nappez de sauce et garnissez d'amandes. Servez immédiatement.

Poulet farci

Préparation: 30 minutes
Cuisson:
1 heure à 1 heure 30

Ingrédients pour 4 à 6 personnes:

1 poulet nettoyé, avec cœur et foie
poivre du moulin
sel
1 œuf
2 cuillerées à soupe de fromage râpé
50 g de fromage vieux coupé en dés
2 cuillerées à soupe de chapelure
1 œuf dur écalé et écrasé
300 g de pommes de terre épluchées
et coupées en rondelles
3 à 5 carottes coupées en rondelles
4 tomates pelées et épépinées
1 branche de céleri à côtes hachée
quelques branches de persil
2 ½ dl de bouillon de poule de 1 cube
30 g de beurre

Principaux ustensiles de cuisine:

piques à cocktail en bois ou aiguille et fil de
cuisine

Préparation:

Lavez et séchez le poulet, saupoudrez l'intérieur et l'extérieur de sel et de poivre.
Coupez le cœur et le foie en petits morceaux, battez l'œuf avec 1 cuillerée à soupe d'eau.
Mélangez le cœur, le foie, l'œuf battu, le fromage, la chapelure et l'œuf dur; poivrez à volonté.
Remplissez le poulet avec cette farce et fermez l'orifice avec des piques à cocktail ou du fil de cuisine.
Déposez le poulet farci dans une casserole et entourez-le des pommes de terre, des carottes, des tomates et du céleri. Mettez le persil sur le poulet et arrosez avec le bouillon.
Salez et poivrez les pommes de terre et les légumes; laissez mijoter le poulet pendant 1 h à 1 ½ h.
Sortez le poulet de la casserole, enlevez les piques ou les fils, ainsi que les branches de persil. Ajoutez le beurre au bouillon.
Servez le poulet sur un plat préchauffé. Versez le bouillon dans une saucière.
Egouttez les pommes de terre et les légumes et servez-les en garniture du poulet.

Poulet farci

Si vous le désirez, vous pouvez rapidement faire revenir le poulet au beurre chaud avant de le servir, afin qu'il prenne une belle couleur dorée.

Poulet Tandoori

Préparation:
1 heure 15
Marinage: 12 heures

Ingrédients pour 4 personnes:
1 poulet nettoyé d'environ 1 kg 200
sel
6 cuillerées à soupe de jus de citron
1 cuillerée à soupe de vinaigre
1 cuillerée à soupe d'huile
2 gousses d'ail émincées ou pressées
une bonne pincée de paprika
1 cuillerée à café de coriandre en poudre
½ cuillerée à café de curry
poivre du moulin
4 cuillerées à soupe de yaourt
2 cuillerées à soupe de purée de tomates
80 g de beurre fondu
2 oignons coupés en rondelles
2 poivrons verts découpés en morceaux
quelques feuilles de menthe
3 cuillerées à soupe d'huile

Principal ustensile de cuisine:
four avec gril et broche

Préparation:
Lavez et séchez l'intérieur et l'extérieur du poulet.

Avec un couteau tranchant, incisez quelques fois la poitrine et les cuisses de la volaille. Frottez le poulet de sel et badigeonnez-le avec la moitié du jus de citron. Laissez reposer une demi-heure.

Ajoutez le vinaigre, l'huile, l'ail, le paprika, la coriandre, le cumin, le curry, le poivre et le sel au reste du jus de citron; battez le tout avec le yaourt et la purée de tomates. Déposez le poulet dans un plat moyen. Arrosez-le de la marinade. Couvrez le récipient et laissez mariner pendant 12 heures.

Préchauffez le gril. Sortez le poulet de la marinade, séchez-le avec du papier absorbant et embrochez-le. Arrosez-le de temps à autre avec un peu de beurre fondu et laissez-le rôtir pendant 15 à 20 minutes. Badigeonnez le poulet de marinade et laissez s'achever la cuisson.

Entre-temps, faites revenir l'oignon, le poivron et la menthe dans de l'huile. Salez et poivrez.

Servez le poulet entouré des légumes.

Poulet Tandoori
Une recette typiquement indienne, bien relevée. Au lieu de faire cuire le poulet à la broche vous pouvez également effectuer la cuisson dans une casserole en terre cuite.

Poulet farci au riz et aux amandes

Préparation:
1 heure 30 à 2 heures

Ingrédients pour 4 personnes:
1 poulet nettoyé d'environ 1,2 kg, avec cœur, foie et rognons
8 cuillerées à soupe d'huile
3 cuillerées à soupe de beurre
1 oignon moyen finement haché
100 g d'amandes effilées et grillées
poivre
sel
150 g de riz
7 dl de bouillon de poule chaud de cubes

Principaux ustensiles de cuisine:
fil de cuisine et aiguille, plat à four, four (200 °C)

Préparation:
Lavez et séchez l'intérieur et l'extérieur du poulet. Nettoyez les abats, lavez-les soigneusement et coupez-les en petits morceaux.
Faites chauffer la moitié de l'huile, ajoutez-y la moitié du beurre et faites-y fondre l'oignon. Ajoutez les abats, laissez-les dorer, puis les amandes.
Salez et poivrez.
Lavez le riz, laissez-le bien égoutter et mélangez-le au contenu de la casserole. Arrosez avec ½ l de bouillon, tournez dans la préparation jusqu'à ce que l'ébullition reprenne, couvrez la casserole, diminuez l'intensité de la source de chaleur et laissez cuire pendant 12 minutes.
Préchauffez le four.

Entre-temps, faites chauffer le reste de l'huile, ajoutez le reste du beurre et faites-y dorer le poulet de tous les côtés.
Farcissez le poulet de riz, mais ne remplissez pas complètement la cavité abdominale, car le riz va encore légèrement gonfler.
Cousez l'orifice.
Mettez le poulet dans le plat à four, arrosez-le avec le beurre dans lequel vous l'avez fait dorer et glissez le tout légèrement au-dessous du milieu du four.
Vous pouvez également faire cuire le poulet dans la lèchefrite.
S'il vous reste du mélange au riz, entourez-en le poulet, arrosez d'un peu d'eau et de bouillon, et laissez cuire le tout.

Arrosez le poulet avec le reste du bouillon. Laissez cuire le poulet pendant 30 à 45 minutes; arrosez-le de temps à autre avec le jus de cuisson.
Vérifiez si le poulet est bien cuit en piquant dans la chair avec une fourchette.
Le poulet est cuit lorsque les parties charnues les plus épaisses sont bien tendres. Retirez délicatement les fils et servez aussi chaud que possible.

Variante pour la farce:
1 boîte de purée de marrons de 450 g, 2 ½ dl de bouillon de poule de 1 cube, 30 g de beurre, 2 œufs, 2 à 4 cuillerées à soupe de crème, jus de citron, 4 cuillerées à soupe de persil haché, 4 à 6 cuillerées à soupe de chapelure, une bonne pincée de noix de muscade, ½ cuillerée à café de feuilles de sauge séchées et une bonne pincée de romarin en poudre. Mélangez bien tous ces ingrédients, salez et poivrez à volonté et farcissez le poulet avec ce mélange.
En cours de cuisson, mouillez le poulet avec 1 ½ dl de vin rouge et liez la sauce avec ⅛ l de crème aigre.

Poulet farci au riz et aux amandes
Ce plat est originaire de Turquie, où il est, à juste titre d'ailleurs, considéré comme un véritable régal.

Poulet au riz pilaf

Préparation:
1 heure 30

Ingrédients pour 4 personnes:
1 poulet nettoyé d'environ 1,2 kg
sel, 4 cuillerées à soupe d'huile
100 g de beurre, poivre, 300 g de riz,
1 oignon moyen coupé en fines rondelles
1 l de bouillon de poule de cubes
une bonne pincée de graines de fenouil
une bonne pincée de clous de girofle en poudre, une bonne pincée de cannelle
une bonne pincée de noix de muscade râpée
50 g d'amandes mondées, coupées en deux

Préparation:
Lavez et séchez l'intérieur et l'extérieur du poulet. Salez-le. Faites chauffer l'huile, ajoutez-y la moitié du beurre et faites-y dorer le poulet de toutes parts. Faites chauffer le reste du beurre dans une poêle, faites-y revenir l'oignon et ajoutez-le au poulet. Arrosez avec 3 dl de bouillon, assaisonnez avec toutes les épices ou délayez-les dans un peu de bouillon avant d'en arroser le poulet. Couvrez la casserole, diminuez l'intensité de la source de chaleur et laissez mijoter jusqu'à ce que le poulet soit cuit à point. Lavez le riz et laissez-le égoutter. Retirez le poulet de la casserole.
Versez le riz et les amandes en pluie dans la casserole. Réchauffez le bouillon et versez-en 3 ½ dl sur le riz. Tournez dans la préparation jusqu'à ce que l'ébullition reprenne, couvrez la casserole et laissez cuire le riz. Entre-temps, gardez le poulet au chaud dans le reste du bouillon. Disposez-le sur un plat préchauffé et servez-le entouré de riz.

Poulet au riz pilaf
Une autre recette turque à base de poulet.

Pigeon au safran
Une recette de pigeon très appréciée en Orient.

Pigeon au safran

Préparation: 40 minutes

Ingrédients pour 4 personnes:
2 pigeons (800 g au total)
safran ou curcuma
poivre du moulin, sel, 1 dl d'huile d'olive
2 ½ dl de bouillon de poule de 1 cube
1 tranche de pain blanc ou de pain bis écroûtée
le jus de 1 citron
½ oignon finement haché
3 cuillerées à soupe de persil haché

Préparation:
Nettoyez l'intérieur et l'extérieur des pigeons ou demandez à votre fournisseur de le faire. Brûlez les dernières petites plumes et les duvets en passant rapidement les pigeons au-dessus d'une flamme. Lavez-les et séchez-les. Coupez-les en deux dans le sens de la longueur. Détachez les cuisses et les ailes du corps et coupez encore une fois le corps en deux.

Mélangez le safran, le poivre et le sel; frottez les morceaux de pigeon avec ce mélange d'épices.

Faites chauffer l'huile et faites-y dorer lentement les morceaux de pigeon de toutes parts. Réchauffez le bouillon et arrosez-en les pigeons. Couvrez la casserole, réduisez l'intensité de la source de chaleur au minimum et laissez cuire à feu doux pendant environ 15 minutes. Vérifiez la cuisson en essayant de détacher un os. Retirez les pigeons de la casserole et disposez-les sur un plat préchauffé. Gardez-les au chaud.

Trempez le pain dans le bouillon et mélangez le tout de façon à obtenir une sauce liée.

Goûtez-la et rectifiez éventuellement l'assaisonnement avec du jus de citron, du poivre et du sel. Saupoudrez les pigeons de morceaux d'oignon cru et de persil. Arrosez avec le reste de jus de citron et nappez de sauce.

Accompagnez de riz, de petits pois et de carottes ou de salade.

Une variante de cette recette consiste à garder les pigeons entiers et à les farcir d'un mélange de 100 g de hachis de veau mélangé à 1 grosse cuillerée à soupe de chutney de mangue, relevé d'un peu de poivre et de sel.

A l'aide d'un couteau tranchant ou de l'index, détachez prudemment la peau, en veillant à ne pas la trouer, sur la poitrine des pigeons. Remplissez l'espace ainsi créé entre la peau et la chair avec la farce. Ne mettez pas trop de farce, car le hachis gonflera légèrement en cuisant. Ensuite, remettez la peau en place et cousez-la.

Faites cuire les pigeons comme indiqué dans la recette précédente. Avant de servir, coupez les pigeons en deux dans le sens de la longueur à l'aide d'un couteau bien aiguisé. Retirez les fils.

Disposez les demi-pigeons sur un plat préchauffé, que vous garnirez de fruits étuvés, de tutti frutti ou de salade.

Pigeon au safran
Quelques phases de la préparation.
De gauche à droite et de haut en bas:
Nettoyez l'intérieur et l'extérieur des pigeons. Coupez-les d'abord en deux dans le sens de la longueur, puis en plus petits morceaux. Saupoudrez-les de safran, de poivre et de sel. Faites dorer les morceaux de pigeon, puis, laissez la cuisson se poursuivre à petit feu. Saupoudrez de persil.
Ajoutez-y des petits morceaux d'oignon cru et nappez de sauce.

Pigeon farci à l'égyptienne
*Une recette très appréciée en Egypte.
On accompagne généralement ce
pigeon farci de topinambours, qui
peuvent être remplacés par des pommes de terre.*

Pigeon farci à l'égyptienne

Préparation: 45 minutes

Ingrédients pour 4 personnes:
*2 pigeons (800 g au total)
200 g de raisins
poivre du moulin, sel
4 fines tranches de lard gras
750 g de topinambours ou de pommes de terre
4 cuillerées à soupe d'huile d'olive*

Principal ustensile de cuisine:
fil de cuisine et aiguille

Préparation:
Nettoyez l'intérieur et l'extérieur des pigeons
ou demandez à votre fournisseur de le faire.
Lavez-les et séchez-les.
Saupoudrez-les de sel à l'intérieur et à
l'extérieur.
Pelez les raisins et épépinez-les.
Farcissez-en les pigeons et cousez l'ouverture
avec du fil de cuisine. Poivrez.
Bardez les pigeons des tranches de lard et
attachez-les avec du fil.

Epluchez les topinambours ou les pommes de
terre, coupez-les en tranches de ½ cm environ
et faites-les cuire pendant une vingtaine de
minutes dans un peu d'eau salée. Faites chauffer l'huile et faites-y dorer les pigeons de tous
les côtés. Ajoutez un peu d'eau chaude, couvrez la casserole et laissez la cuisson s'achever.
Après 15 minutes, vérifiez le degré de cuisson
en détachant une cuisse. En cours de cuisson,
arrosez de temps à autre les pigeons avec leur
jus. Lorsqu'ils sont cuits, retirez-les de la
casserole.
Enlevez les fils et les tranches de lard. Egouttez
les topinambours ou les pommes de terre et
faites-les rapidement sécher dans la casserole
ouverte.
Disposez les pigeons sur un plat préchauffé,
nappez-les de sauce et entourez-les de rondelles
de pommes de terre ou de topinambours.

Les légumes et les pommes de terre

Moussaka d'artichauts
Artichauts farcis
Artichauts frits de Judée
Artichauts étuvés
Beignets d'artichauts
Aubergines farcies aux crevettes
Aubergines farcies au riz
Moussaka aux courgettes
Gratin de courgettes aux champignons
Courgettes étuvées
Courgettes farcies au hachis de veau
Salade de courgettes
Petits pois aux oignons
Gâteau iranien au potiron
Strudel au chou à la juive
Poivrons farcis à la turque
Curry de légumes à l'indienne
Epinards à la birmane
Roulade d'épinards à la juive
Purée de carottes
Ragoût aux carottes et au chou-fleur
Beignets de carottes turcs
Carottes à l'aigre-doux
Lokmas turcs
Croquettes de pommes de terre aux noix
Croquettes de pommes de terre arabes
Galettes de pommes de terre
Pommes mousseline aux aubergines

Moussaka d'artichauts

Préparation: 1 heure 20
Cuisson au four:
40 minutes

Ingrédients pour 4 personnes:

6 artichauts moyens
jus de citron ou vinaigre
6 cuillerées à soupe d'huile d'olive
sel
1 gros oignon épluché
400 g de viande d'agneau
ou de veau hachée
3 grosses tomates pelées
3 cuillerées à soupe de persil haché
poivre du moulin

Principaux ustensiles de cuisine:

tamis ou passoire, caquelon ou plat à four, éventuellement four (180 °C)

Moussaka d' artichauts
Ce plat turc est encore plus savoureux le lendemain de sa préparation. Il peut très bien se réchauffer au four. La moussaka se déguste aussi bien chaude que tiède ou froide.

Préparation:

Lavez les artichauts en les plongeant plusieurs fois, tête en bas, dans une grande quantité d'eau tiède.

Enlevez la queue et les feuilles extérieures coriaces.

Coupez les extrémités des feuilles et retirez le foin du centre des artichauts. Epluchez très finement les fonds d'artichauts et arrosez-les de jus de citron pour éviter qu'ils ne brunissent.

Coupez les artichauts en 2 ou 3 dans le sens de la longueur et laissez-les bien égoutter.

Faites chauffer la moitié de l'huile et saisissez les artichauts de tous les côtés.

Saupoudrez-les de sel.

Faites chauffer le reste de l'huile dans une poêle.

Coupez l'oignon en fines rondelles et faites-les

revenir dans l'huile, en remuant régulièrement. Faites également dorer le hachis. Travaillez-le avec une fourchette pour qu'il reste grumeleux.
Préchauffez éventuellement le four.
Coupez les tomates en tranches, épépinez-les et ajoutez-les à la viande. Saupoudrez de persil. Salez et poivrez.
Laissez cuire les tomates et mélangez bien tous les ingrédients.

Disposez la moitié des morceaux d'artichauts dans un caquelon ou dans un plat à four. Répartissez la préparation à la viande sur les artichauts et recouvrez avec l'autre moitié. Mouillez d'eau chaude jusqu'à ce qu'il y ait environ 2 doigts de liquide dans le fond du plat.
Couvrez-le et laissez cuire à petit feu ou au milieu du four pendant 40 minutes environ. Servez froid ou tiède.

Moussaka d'artichauts
Quelques phases de la préparation.
De gauche à droite: Faites revenir les oignons et ajoutez-y la viande hachée. Ajoutez les tomates.
Couvrez le fond du plat d'artichauts, disposez le hachis sur ceux-ci et recouvrez du reste des artichauts.

Artichauts farcis

Préparation:
1 heure 20

Ingrédients pour 4 personnes:
4 gros ou 8 petits artichauts ou
4 fonds en boîte
jus de citron ou vinaigre
sel
200 g de hachis de bœuf maigre
100 g de cacahuètes décortiquées et hachées
4 cuillerées à soupe de chapelure
poivre du moulin
noix de muscade
3 œufs
farine
chapelure

Principaux ustensiles de cuisine:
tamis ou passoire, friteuse (160 à 170 °C)

Préparation:
Nettoyez les artichauts comme indiqué dans la recette précédente.
Recouvrez-les d'eau additionnée de jus de citron ou de vinaigre et de sel, et laissez-les cuire pendant une trentaine de minutes.

Entre-temps, mélangez le hachis, les cacahuè-tes, la chapelure, le poivre, la noix de muscade et le sel.
Battez 2 œufs avec 2 cuillerées à soupe d'eau. Ajoutez au hachis une quantité suffisante d'œuf pour obtenir une préparation onctueuse mais ferme.

Vérifiez la cuisson des artichauts en tirant une feuille. Celle-ci doit se détacher facilement.
Laissez bien égoutter les artichauts.
Evidez légèrement le centre et incorporez l'artichaut prélevé au hachis. Garnissez les artichauts de cette préparation. Lissez bien le hachis.

Faites chauffer la friture.
Roulez les artichauts farcis dans la farine puis dans l'œuf. Laissez écouler l'excédent d'œuf, puis passez-les dans la chapelure.
Laissez lentement dorer les artichauts dans la friture.

Artichauts frits de Judée

Préparation: 20 minutes

Ingrédients pour 4 personnes:
8 petits artichauts
poivre du moulin, sel

Principaux ustensiles de cuisine:
tamis, friteuse (160 à 170 °C), écumoire, papier absorbant

Préparation:
Lavez les artichauts en les plongeant plusieurs fois, tête en bas, dans une grande quantité d'eau tiède. Enlevez les feuilles extérieures coriaces et coupez les pointes des autres feuilles. Retirez les foins, s'il y en a. Laissez-les bien égoutter.
Faites chauffer la friture.
Prenez les artichauts par la queue et cognez-les légèrement contre la table de travail de façon à ce que les feuilles s'écartent. Coupez les queues.

Plongez les artichauts dans la friture et laissez-les dorer lentement jusqu'à ce qu'ils soient bien croustillants. Laissez-les égoutter quelques secondes, salez et poivrez, servez immédiatement.

Artichauts frits de Judée
Un des grands classiques de la cuisine israélienne.

Artichauts étuvés

Préparation: 40 minutes

Ingrédients pour 4 personnes:
8 très petits artichauts
2 dl de bouillon (de cubes)
1 dl d'huile d'olive
poivre du moulin
500 g de petits oignons hachés
500 g de tomates pelées et épépinées
fécule de pomme de terre, sel
2 cuillerées à soupe de persil haché

Préparation:
Nettoyez les artichauts comme pour la recette précédente; leur égouttage est cependant superflu. Faites-les cuire dans le bouillon et l'huile; poivrez légèrement. Portez à ébullition, puis laissez la cuisson se poursuivre à feu plus doux. Ajoutez les oignons et les tomates. Tournez de temps à autre dans la préparation.

Liez la sauce avec la fécule de pomme de terre délayée dans un peu d'eau. Lorsque les légumes sont cuits, laissez-les refroidir. Rectifiez l'assaisonnement et ajoutez le persil.

Beignets d'artichauts

Préparation: 45 minutes
Cuisson:
20 à 25 minutes

Ingrédients pour 4 personnes:
8 petits artichauts ou fonds
d'artichauts en boîte
jus de citron ou vinaigre
1 œuf, 80 g de farine
1 cuillerée à soupe d'huile d'olive
poivre du moulin, sel

Principaux ustensiles de cuisine:
tamis, friteuse (190 °C)

Préparation:
Nettoyez les artichauts comme décrit ci-dessus. Coupez les feuilles juste au-dessus de la base et laissez cuire les fonds pendant 20 à 25 minutes dans de l'eau additionnée de jus de citron ou de vinaigre.
Grattez les restes de foin à l'aide d'un petit couteau.
Entre-temps, battez l'œuf avec l'huile, ajoutez-y la farine, salez et poivrez; ajoutez une quantité suffisante d'eau pour obtenir une pâte légèrement consistante. Couvrez le récipient contenant la pâte et mettez-la de côté. Vérifiez le degré de cuisson des fonds d'artichauts; s'ils sont cuits, laissez-les égoutter et refroidir. Faites chauffer la friture. Battez la pâte et incorporez-y quelques cuillerées à soupe d'eau - la pâte aura épaissi en reposant. Tournez les cœurs d'artichauts dans la pâte et laissez-les bien dorer dans la friture. Servez immédiatement sur un plat de service.

L'artichaut
L'artichaut (Cynara scolymus) est une espèce comestible de chardon, dont on utilise les capitules à des fins culinaires. Cette plante, originaire d'Afrique du Nord, a été importée en Italie au XVIe siècle, et c'est de là qu'elle partit à la conquête de la France. Actuellement, c'est une des principales cultures de la Bretagne.
On consomme énormément d'artichauts dans nos pays.
Lorsque l'artichaut fleurit, il présente une magnifique inflorescence mauve. La plante peut atteindre une hauteur de 1,50 m et son capitule peut avoir la grosseur d'un poing. Les artichauts sont récoltés avant que la fleur ne s'ouvre. Un bon artichaut est vert foncé. Son capitule est complètement fermé et son fond bien charnu. Les pointes des feuilles ne peuvent être dures ni piquantes. On trouve des artichauts frais sur le marché de juin à septembre. On trouve également des fonds et des cœurs d'artichauts en boîte.

Aubergines farcies aux crevettes

Préparation: 25 minutes
Cuisson au four:
35 à 40 minutes

Ingrédients pour 4 à 8 personnes:

4 aubergines moyennes
200 g de crevettes cuites et décortiquées
5 cuillerées à soupe d'huile
1 oignon finement haché
1 gousse d'ail pressée, poivre du moulin, sel
1 cuillerée à café de pâte d'anchois
une bonne pincée de curcuma
1 cuillerée à café de paprika

Principaux ustensiles de cuisine:

plat à four avec couvercle, four (220 °C)

Préparation:

Lavez et séchez les aubergines, coupez-les en deux dans le sens de la longueur, sans les éplucher, et retirez délicatement la plus grande partie de la chair à l'aide d'une cuillère à café. Lavez et séchez les crevettes. Hachez-les, ainsi que la chair des aubergines.

Badigeonnez d'huile le plat à four. Faites chauffer 3 cuillerées à soupe d'huile et faites-y revenir les crevettes, la chair d'aubergine, l'oignon et l'ail. Tournez de temps en temps, avec beaucoup de précaution, dans la préparation. Glissez la grille au milieu du four et préchauffez celui-ci.

Assaisonnez le mélange aux crevettes de curcuma, de paprika, de poivre et de sel; ajoutez-y la pâte d'anchois. Répartissez le mélange dans les demi-aubergines. Disposez-les dans le plat à four. Versez-y le reste de l'huile et 1 dl d'eau bouillante. Couvrez le plat, glissez-le au four. Après 25 minutes de cuisson, retirez le couvercle de façon à ce que le contenu prenne une belle couleur.

Aubergines farcies aux crevettes
Ces aubergines farcies, dont la recette nous vient de Birmanie, conviennent pour un repas léger ou peuvent être servies en entrée chaude, après le potage.

Aubergines farcies au riz
Cette préparation constitue un repas
végétarien complet si l'on ajoute à la
farce des œufs durs écrasés ou du fromage râpé. Ces aubergines farcies
peuvent également servir d'accompagnement à une viande.

Aubergines farcies au riz

Préparation:
1 heure 10

Ingrédients pour 6 personnes:
4 aubergines moyennes
5 cuillerées à soupe d'huile d'olive
4 oignons moyens haché
300 g de riz cuit
poivre du moulin
sel
2 cuillerées à soupe de cacahuètes hachées
1 cuillerée à soupe de raisins secs
2 cuillerées à soupe de persil haché
une pincée de menthe en poudre
une pincée de clous de girofle en poudre
une pincée de cannelle en poudre
1 cuillerée à café de sucre

Principal ustensile de cuisine:
sauteuse avec couvercle

Préparation:
Epluchez finement les aubergines et incisez-les
en leur milieu, dans le sens de la longueur, sans
les couper complètement. Videz-les presque
entièrement à l'aide d'une cuillère à café.
Découpez la chair enlevée en petits morceaux
et réservez-la.
Faites cuire les aubergines pendant 5 minutes
dans un bon fond d'eau bouillante salée, puis
égouttez-les et laissez-les refroidir.

Faites chauffer 2 cuillerées à soupe d'huile et
faites-y fondre les oignons. Ajoutez-y le riz et
la chair des aubergines, salez et poivrez. Laissez rapidement revenir tous ces ingrédients.
Incorporez les cacahuètes, les raisins, le persil,
la menthe, les clous de girofle, la cannelle et le
sucre. Salez et poivrez à volonté.
Laissez légèrement réduire cette préparation
puis farcissez-en les aubergines. Ne les remplissez cependant pas trop.

Faites chauffer le reste de l'huile dans la sauteuse. Mettez-y les aubergines. Ajoutez suffisamment d'eau chaude pour que les aubergines
baignent jusqu'à mi-hauteur dans le liquide.
Couvrez et laissez mijoter les aubergines.
Servez tiède.

109

Moussaka aux courgettes

Préparation: 1 heure
Cuisson au four:
30 minutes

Ingrédients pour 4 personnes:
800 g de courgettes
2 oignons coupés en fines rondelles
6 cuillerées à soupe d'huile
400 g de hachis d'agneau ou de veau
poivre du moulin, sel, 1 gousse d'ail pressée
3 grosses tomates épluchées et épépinées
3 cuillerées à soupe de persil haché
1 pot de yaourt, 4 cuillerées à soupe de lait
une pincée de menthe en poudre

Principaux ustensiles de cuisine:
tamis ou passoire, caquelon ou plat à four,
éventuellement four (180 °C)

Préparation:
Lavez et essuyez les courgettes. Coupez-les en
tranches d'environ 1 cm. Faites chauffer la
moitié de l'huile et faites-y fondre les oignons.
Ajoutez le hachis, laissez le dorer avec les
oignons, tout en le travaillant avec une fourchette. Lorsque la viande est saisie, salez et
poivrez la préparation. Incorporez-y les tomates et le persil. Lorsque les tomates sont cuites,
rectifiez éventuellement l'assaisonnement en
poivre et en sel.
Préchauffez éventuellement le four.
Faites chauffer 2 cuillerées à soupe d'huile et
faites-y rissoler les courgettes en les retournant
fréquemment.
Couvrez le fond du plat ou du caquelon avec
la moitié des courgettes. Recouvrez du
mélange au hachis et terminez par une couche
de courgettes.
Versez le reste de l'huile dans le plat ainsi que
de l'eau chaude, de façon à ce que les légumes
se trouvent dans 2 doigts de liquide.
Couvrez le plat et laissez cuire la préparation
à tout petit feu, ou glissez le plat, sans couvercle, au milieu du four. Battez le yaourt avec le
lait et relevez ce mélange d'ail, de menthe en
poudre et de sel. Présentez cette sauce en saucière avec la moussaka, qui se déguste tiède ou
froide.

Moussaka aux courgettes
*Cette recette turque se consomme
tiède ou froide, accompagnée d'une
sauce au yaourt très relevée, dont
chacun se sert à volonté.*

Gratin de courgettes aux champignons

Préparation: 20 minutes
Cuisson au four: 15 à 20 minutes

Ingrédients pour 4 personnes:
2 courgettes moyennes, 100 g de champignons
6 cuillerées à soupe d'huile
½ oignon finement haché
2 tomates épluchées et épépinées
une pincée de thym, une pincée de curry
une pincée de paprika, poivre, sel
1 gousse d'ail pressée
50 g de fromage vieux râpé

Préparation:
Lavez et essuyez les courgettes. Coupez-les en
deux dans le sens de la longueur. Evidez-les
délicatement et hachez la chair.
Faites chauffer la moitié de l'huile et faites-y
revenir les oignons.
Coupez les champignons en fines tranches.
Ajoutez-les aux oignons avec les morceaux de
courgette, et laissez étuver le tout. Ajoutez
ensuite les tomates.
Glissez la grille au milieu du four et préchauffez celui-ci (240 °C).
Relevez les légumes de thym, de curry, de
paprika, de poivre et de sel.
Répartissez ce mélange sur les courgettes, disposez celles-ci dans un plat à four et
saupoudrez-les de fromage râpé. Versez le
reste de l'huile dans le plat, ainsi qu'un peu
d'eau bouillante.
Faites cuire les courgettes au four.

Courgettes étuvées
Coupez 800 à 1 000 g de courgettes épluchées
en rondelles assez épaisses, puis coupez les
rondelles en quatre. Faites chauffer 3 cuillerées
à soupe d'huile et faites-y fondre un gros
oignon coupé en fines rondelles. Saupoudrez
d'une demi-cuillerée à café de curry et laissez
dorer le tout. Ajoutez les courgettes et poursuivez la cuisson en tournant régulièrement.
Relevez d'une bonne pincée de gingembre en
poudre, couvrez la casserole et laissez étuver à
feu doux pendant une dizaine de minutes.
Arrosez, si nécessaire, d'un peu d'eau, rectifiez l'assaisonnement et mélangez aux légumes
3 morceaux émincés de gingembre.

Courgettes farcies au hachis de veau
Une savoureuse combinaison de légumes et de viande, caractéristique de la cuisine arabe.

Courgettes farcies au hachis de veau

Préparation: 15 minutes
Cuisson au four: 20 à 25 minutes

Ingrédients pour 4 personnes:
500 à 600 g de courgettes
200 g de hachis de veau
1 oignon moyen haché
une bonne pincée de piment haché
2 cuillerées à soupe de persil haché
1 œuf
poivre du moulin
sel
beurre pour le plat
5 cuillerées à soupe de purée de tomates
éventuellement 3 cuillerées à soupe de lait concentré

Principaux ustensiles de cuisine:
plat à four, four (220 °C)

Préparation:
Lavez et essuyez les courgettes. Enlevez les queues et coupez les légumes en deux dans le sens de la longueur.

Evidez délicatement les demi-courgettes à l'aide d'une cuillère à café.
Coupez la chair en petits morceaux et mélangez-la avec le hachis, l'oignon, le piment et la moitié du persil.
Battez l'œuf avec du poivre et du sel.
Incorporez-le au hachis.

Beurrez un plat à four.
Glissez une grille juste au-dessus du milieu du four et préchauffez celui-ci.

Remplissez la moitié des demi-courgettes de hachis et recouvrez-les avec les autres demi-courgettes. Disposez les courgettes ainsi reconstituées dans le plat à four.
Délayez la purée de tomates dans 3 cuillerées à soupe d'eau ou de lait concentré. Poivrez et salez à volonté.
Nappez les courgettes de sauce tomate, glissez le plat au four et laissez cuire la viande et les légumes à point. Arrosez de temps en temps les courgettes de leur jus de cuisson.

Saupoudrez de persil haché avant de servir.

Salade de courgettes

Préparation: 15 minutes

Ingrédients pour 4 personnes:
2 courgettes moyennes, 1 poivron rouge
6 olives noires dénoyautées
2 cuillerées à soupe d'huile
1 cuillerée à soupe de jus de citron
une bonne pincée de gingembre en poudre
une bonne pincée de thym, poivre et sel

Principal ustensile de cuisine:
coupe-légumes

Préparation:
Lavez et séchez les courgettes. Coupez-les en très fines tranches.
Lavez et séchez le poivron, débarrassez-le des côtes et des graines, et coupez-le en fines lanières.
Emincez les olives.
Battez l'huile avec le jus de citron, le gingembre et le thym. Salez et poivrez cette préparation.
Arrosez les légumes de cette sauce, mélangez bien le tout et laissez macérer avant de servir. Cette salade doit être servie bien fraîche, mais pas glacée.

Petits pois aux oignons

Préparation: 30 minutes
Cuisson: 15 minutes

Ingrédients pour 4 personnes:
750 g de petits pois frais ou 450 g de petits pois surgelés
1 laitue, ½ bouquet de persil
250 g d'échalotes ou de petits oignons
quelques brins de cerfeuil ou
1 cuillerée à café de cerfeuil séché trempé
ou une bonne pincée de cerfeuil en poudre
1 cuillerée à café de sucre
1 cuillerée à café d'huile
1 cuillerée à soupe de fécule de pomme de terre
50 g de beurre

Principaux ustensiles de cuisine:
passoire, panier à salade

Préparation:
Ecossez les petits pois frais, rincez-les à l'eau courante et laissez-les égoutter. Laissez bien dégeler les petits pois surgelés. Détachez les feuilles de la laitue. Essorez-les soigneusement. Epluchez les oignons et lavez-les, ainsi que le persil et le cerfeuil. Faites cuire les oignons pendant 5 à 10 minutes dans un bon fond d'eau bouillante. Ajoutez-y les petits pois frais et poursuivez la cuisson pendant 5 minutes. S'il s'agit de petits pois surgelés 4 minutes suffisent.
Découpez les feuilles de laitue en fines lanières. Ajoutez-les aux légumes, de même que le persil et le cerfeuil. Si vous utilisez des petits pois en boîte, ne les ajoutez à la préparation que maintenant, en même temps que l'huile et le sucre. Laissez étuver la laitue pendant 1 à 2 minutes, puis, vérifiez le degré de cuisson des légumes. Egouttez-les et recueillez le jus de cuisson. Liez celui-ci avec la fécule de pomme de terre délayée dans un peu d'eau. Enlevez les brins de cerfeuil. Laissez fondre le beurre sur les légumes et nappez-les du jus de cuisson lié. Servez aussi chaud que possible.

Petits pois aux oignons
Une manière originale et savoureuse de préparer les petits pois.

Gâteau iranien au potiron

 Préparation: 30 minutes
Cuisson au four:
45 à 55 minutes

Ingrédients pour 6 à 8 personnes:
*800 à 900 g de potiron ou
de citrouille
200 g de fromage frais (cottage cheese,
Hüttenkäse)
une bonne pincée de cumin en poudre
poivre du moulin
sel
4 ou 5 cuillerées à soupe de chapelure
3 cuillerées à soupe de persil haché
beurre pour le plat
2 œufs*

Principaux ustensiles de cuisine:
râpe, tamis, plat à four rond et peu profond,
four (200 °C)

Préparation:
Epluchez la tranche de potiron et épépinez-la.
Découpez la chair en morceaux. Lavez et
séchez les morceaux de potiron et râpez-les
grossièrement. Laissez égoutter le potiron râpé
dans un tamis. Pressez-le bien afin qu'il s'en
écoule un maximum d'eau. Incorporez-y le
fromage frais, le cumin, le poivre et le sel.
Mélangez bien afin d'obtenir une masse homogène. Mélangez-y ensuite la chapelure et le
persil.
Beurrez un plat à four. Glissez la grille au
milieu du four et préchauffez celui-ci.
Battez les œufs et incorporez-les au mélange de
potiron et de fromage. Si le mélange est trop
liquide, ajoutez-y encore un peu de chapelure.
Salez et poivrez à volonté. Versez cette préparation dans le plat. Glissez-le au four et laissez
cuire le gâteau. Servez chaud, comme entrée
ou repas léger, ou froid, comme en-cas.

Gâteau iranien au potiron
*Vous pouvez servir ce gâteau comme
entrée, après le potage, ou comme
repas léger. Vous pouvez également le
présenter comme amuse-gueule, à
l'apéritif ou en soirée.*

Strudel au chou à la juive
*Un plat nourrissant qui se consomme
à la sortie du four ou froid.*

Strudel au chou à la juive

Préparation: 40 minutes
Cuisson au four:
40 minutes

Ingrédients pour 4 personnes:
1 petit chou blanc d'environ 600 g
4 cuillerées à soupe d'huile
250 g de farine, 2 œufs
100 g de cerneaux de noix hachés
2 cuillerées à soupe de raisins secs
1 cuillerée à soupe de sucre
une pincée de cannelle
poivre du moulin, sel, 50 g de beurre

Principaux ustensiles de cuisine:
râpe à légumes, tamis, passoire, rouleau à
pâtisserie, four (180 °C)

Préparation:
Nettoyez le chou, retirez les feuilles extérieures
les plus coriaces et le trognon. Râpez-le ou
hachez-le finement.
Faites chauffer l'huile et faites-y étuver le chou
pendant une quinzaine de minutes, en remuant
fréquemment.

Entre-temps, tamisez la farine et le sel dans
une terrine. Battez les œufs et ajoutez-les à la
farine. Travaillez rapidement ces ingrédients
avec les mains, jusqu'à obtention d'une pâte
homogène. Ajoutez éventuellement un peu
d'eau ou de farine.
Laissez reposer la pâte au réfrigérateur.

Faites égoutter le chou dans la passoire, en
pressant bien. Incorporez-y les noix, les raisins, le sucre et la cannelle. Salez et poivrez à
volonté; laissez refroidir le chou.
Préchauffez le four.
Saupoudrez légèrement la table de travail de
farine. Abaissez la pâte en un rectangle de
⅓ cm d'épaisseur. Couvrez la pâte du chou, à
l'exception d'un bord de 2 cm.
Roulez précautionneusement la pâte, en veillant à ce que la farce ne puisse s'en échapper
en cours de cuisson. Faites bien adhérer les
bords de pâte avec un peu d'eau.
Beurrez la plaque de cuisson du four. Déposez
la roulade sur celle-ci et répartissez le reste du
beurre, divisé en noisettes, sur la pâte. Laissez
bien cuire et dorer au four.

Poivrons farcis à la turque

Vous pouvez éventuellement débarrasser les poivrons de leur peau avant de les présenter à table. Ces poivrons constituent un excellent accompagnement pour une viande.

Poivrons farcis à la turque

Préparation: 40 minutes
Cuisson au four: 15 à 20 minutes

Ingrédients pour 4 personnes:
8 poivrons verts moyens, 200 g de riz
6 cuillerées à soupe d'huile, poivre, sel
2 oignons moyens émincés
500 g de tomates pelées et épépinées
2 cuillerées à soupe de menthe poivrée fraîche
ou séchée et trempée ou
3 cuillerées à soupe de persil haché

Principaux ustensiles de cuisine:
plat à four, four (220 °C)

Préparation:
Lavez et séchez les poivrons, coupez-en le haut, avec le pédoncule. Retirez délicatement les graines et les côtes. Saupoudrez l'intérieur des poivrons d'un peu de sel et retournez-les sur une assiette.

Faites chauffer 3 cuillerées à soupe d'huile dans une poêle et faites-y fondre la moitié des oignons.

Lavez le riz et séchez-le autant que possible.

Ajoutez les tomates aux oignons et laissez étuver le tout.

Faites chauffer le reste de l'huile et faites-y rissoler le reste des oignons ainsi que le riz. Incorporez la menthe ou le persil aux tomates et ajoutez la moitié de cette préparation au riz. Arrosez d'eau chaude de façon à ce que le liquide dépasse d'environ deux doigts le niveau du riz. Tournez dans la casserole jusqu'à ce que l'ébullition reprenne. Couvrez-la et réduisez l'intensité de la source de chaleur au minimum. Laissez cuire le riz jusqu'à ce qu'il ait absorbé presque tout le liquide de cuisson.

Glissez la grille au milieu du four. Préchauffez

celui-ci. Enduisez le plat à four d'huile. Relevez le riz avec du poivre et éventuellement du sel. Répartissez le riz dans les poivrons de façon à ce que la farce dépasse légèrement du légume. Disposez les poivrons dans le plat à four et arrosez-les avec le reste de la sauce aux tomates. Glissez le plat dans le four et arrosez de temps en temps les poivrons avec leur jus de cuisson. Servez chaud en accompagnement d'une viande.

Curry de légumes à l'indienne

Préparation: 45 minutes

Ingrédients pour 4 personnes:
25 g de petits oignons nettoyés
50 g de haricots verts nettoyés
4 carottes coupées en bâtonnets
2 poivrons jaunes, 8 tomates pelées
150 g de petits pois frais écossés ou en boîte
3 cuillerées à soupe d'huile
1 oignon coupé en fines rondelles
2 gousses d'ail pressées
1 cuillerée à soupe de curry, poivre, sel

Préparation:
Lavez les légumes et laissez-les égoutter.
Coupez les haricots verts en deux dans le sens de la longueur.
Coupez les tomates en rondelles et épépinez-les. Faites chauffer l'huile. Faites-y rissoler les rondelles d'oignons et l'ail. Laissez légèrement revenir le curry avec l'oignon, puis, retirez le tout du feu afin que l'épice ne brûle pas.
Mettez les oignons, les haricots, les carottes et les rondelles de tomates dans une casserole et portez le tout à ébullition en tournant.
Salez et poivrez à volonté; ajoutez la quantité d'eau nécessaire pour que les légumes soient à moitié immergés. Réduisez l'intensité de la source de chaleur et laissez cuire à feu doux.
Coupez les poivrons en fines lanières et ajoutez-les aux autres légumes, en même temps que les petits pois égouttés, lorsque ceux-ci sont presque cuits.
Poursuivrez la cuisson jusqu'à ce que les poivrons soient cuits.
Goûtez la préparation et accompagnez de riz, de pommes de terre nature ou sautées ou de pommes mousseline.

Curry de légumes à l'indienne
Un plat de légumes aussi décoratif que savoureux.

Epinards à la birmane
Accommodés de cette façon, les épinards ont plus de goût que lorsqu'on les prépare à «l'européenne».

Epinards à la birmane

Préparation: 20 minutes

Ingrédients pour 4 personnes:
800 g d'épinards
1 gros oignon nettoyé
4 cuillerées à soupe d'huile
1 gousse d'ail pressée
½ cuillerée à café de pâte d'anchois
une pincée de safran ou de curcuma
1 cuillerée à soupe de paprika
fécule de pomme de terre ou de maïs
sel
sauce de soja

Principal ustensile de cuisine:
tamis ou passoire

Préparation:
Lavez soigneusement les épinards à l'eau courante. Coupez-les en lanières et laissez-les bien égoutter dans la passoire ou le tamis.

Coupez l'oignon en fines rondelles.
Faites chauffer l'huile et faites-y fondre l'oignon.
Ajoutez-y l'ail et la pâte d'anchois, le safran, le paprika et les épinards. Portez à ébullition en tournant.
Laissez cuire à petit feu, de façon à ce que les légumes ne produisent pas trop de jus.

Si, malgré tout, les épinards ont donné beaucoup de jus, liez celui-ci avec un peu de fécule délayée dans de l'eau.
Rectifiez l'assaisonnement.

Roulade d'épinards à la juive

Préparation:
1 heure 35

Ingrédients pour 4 personnes:
700 g d'épinards
quelques cuillerées à soupe d'huile
100 g de beurre
200 g de fromage frais
noix de muscade
poivre du moulin, sel
50 g de gouda vieux râpé ou
de parmesan râpé
250 g de farine, 2 œufs

Principaux ustensiles de cuisine:
hachoir ou mixeur, passoire, tamis, rouleau à pâtisserie, linge, fil de cuisine, grande poêle

Préparation:
Lavez les épinards et hachez-les. Faites-les cuire pendant 5 minutes dans la grande poêle. Versez-les dans une passoire et rincez-les à l'eau froide. Laissez bien égoutter. Hachez-les plus finement et portez-les à ébullition avec l'huile. Retirez la poêle de la cuisinière. Ajou-tez 20 g de beurre, le fromage frais, 1 cuillerée à soupe de fromage râpé, ainsi que le sel, le poivre et la noix de muscade. Laissez refroidir. Tamisez la farine et le sel; ajoutez les œufs à ce mélange. Travaillez rapidement ces ingré-dients en une pâte homogène. Saupoudrez la table de travail de farine. Abaissez-y la pâte en un rectangle de ⅓ cm d'épaisseur. Répartissez-y les légumes, en laissant libre un bord de 2 cm sur le pourtour.
Enroulez délicatement la pâte, en veillant à ce que les légumes ne puissent sortir pendant la cuisson. Faites solidement adhérer les bords avec un peu d'eau.
Enveloppez cette roulade dans un linge et cou-sez les extrémités avec du fil de cuisine.
Portez une grande quantité d'eau salée à ébul-lition dans une grande marmite. Faites-y cuire la roulade pendant 20 à 25 minutes.
Retirez précautionneusement la roulade de l'eau et débarrassez-la du linge qui l'entoure. Coupez-la en tranches épaisses et faites fondre le reste du beurre. Versez le beurre fondu sur les tranches de roulade et saupoudrez-les du reste de fromage râpé.
Servez aussi chaud que possible.

Roulade d'épinards à la juive
Vous pouvez varier cette recette en ajoutant de la purée de tomates aux épinards.
Quelques phases de la préparation.
De gauche à droite et de haut en bas:
Faites rapidement cuire les épinards hachés dans une grande poêle.
Ajoutez-y le fromage frais.
Répartissez la farce froide sur la pâte.
Enroulez précautionneusement la pâte et faites cuire la roulade.

Purée de carottes

Préparation: 40 minutes

Ingrédients pour 4 personnes:
800 g de carottes grattées
5 dl de bouillon
1 jaune d'œuf
1 dl de lait chaud, 30 g de beurre
75 g de gouda ou de parmesan râpé
le jus de 1 citron
sucre, sel

Principal ustensile de cuisine:
presse-purée ou mixeur

Préparation:
Lavez les carottes, coupez-les en petits morceaux et faites-les cuire dans le bouillon. Laissez-les égoutter puis réduisez-les en purée au presse-purée ou au mixeur. Battez le jaune d'œuf et le lait et incorporez ce mélange à la purée de carottes. Réchauffez-la, ajoutez-y le beurre et le fromage et relevez à volonté de jus de citron, de sucre et de sel.

Ragoût aux carottes et au chou-fleur

Préparation: 40 minutes

Ingrédients pour 4 personnes:
2 oignons moyens
5 cuillerées à soupe d'huile d'olive
100 g de morceaux de veau ou de poulet
300 g de carottes coupées en petits tronçons
1 chou-fleur partagé en bouquets
avec le trognon émincé
3 cuillerées à soupe de purée de tomates
une pincée de piment en poudre, sel

Préparation:
Epluchez les oignons et émincez-les.
Faites chauffer l'huile, faites-y fondre les oignons, puis, dorer la viande.
Ajoutez-y les carottes et les rondelles de trognon; arrosez le tout de 2 dl d'eau chaude.
Laissez cuire une dizaine de minutes puis incorporez les bouquets de chou-fleur et la purée de tomates à la préparation.
Assaisonnez de piment et de sel.
Poursuivez la cuisson jusqu'à ce que le chou-fleur soit cuit «al dente».

Accompagnez de riz, de pommes de terre ou de macaronis.

Beignets de carottes turcs

Préparation: 40 minutes

Ingrédients pour 4 personnes:
600 g de carottes
quelques brins de fenouil ou une pincée de fenouil en poudre
1 cuillerée à soupe de sucre
1 cuillerée à soupe d'huile d'olive, sel
100 g de farine
une bonne pincée de curry
1 petit oignon
¼ l de yaourt maigre
1 gousse d'ail pressée
une bonne pincée de citronnelle ou de marjolaine en poudre

Principaux ustensiles de cuisine:
mixeur, passoire, friteuse (190 °C)

Préparation:
Grattez les carottes. Coupez-les en rondelles d'environ 1 cm d'épaisseur. Lavez-les et faites-les cuire dans un fond d'eau bouillante assaisonnée de fenouil, de sucre, d'huile et de sel. Laissez reprendre l'ébullition, tournez dans la préparation et couvrez la casserole. Laissez cuire à feu doux pendant 10 à 20 minutes, jusqu'à ce que les carottes soient à peu près cuites.
Entre-temps, tamisez la farine, le curry et le sel; ajoutez-y l'œuf et une quantité suffisante d'eau pour obtenir une pâte légèrement consistante.
Lorsque les carottes sont presque cuites, laissez-les égoutter dans une passoire.
Faites chauffer la friture à 190 °C.

Tournez les rondelles de carottes dans la pâte, laissez égoutter l'excédent de pâte et faites-les frire dans la graisse, jusqu'à ce qu'elles soient bien dorées et croustillantes.
Battez le yaourt avec l'ail, la citronnelle et un peu de sel; présentez cette sauce avec les beignets.

Beignets de carottes turcs
En Turquie, ces beignets de carottes sont consommés avec du yaourt.

Carottes à l'aigre-doux

Préparation: 45 minutes
Marinage: 12 à 18 heures

Ingrédients pour 4 personnes:
600 g de jeunes carottes ou de petites carottes d'hiver
quelques brins de fenouil ou une pincée de fenouil en poudre
1 cuillerée à soupe de sucre
1 cuillerée à café d'huile
3 cuillerées à soupe de sauce de soja, sel
4 cuillerées à soupe de vinaigre
3 cuillerées à soupe de saké ou de xérès
4 cuillerées à soupe de cassonade
1 oignon moyen finement haché

Principaux ustensiles de cuisine:
passoire, piques à cocktail

Préparation:
Grattez les carottes et découpez-les en tronçons de l'épaisseur d'un doigt. Lavez-les et faites-les cuire dans un fond d'eau bouillante additionnée de fenouil, de sucre, d'huile et de sel. Portez le tout à ébullition, tournez dans la casserole et couvrez-la. Laissez cuire à feu doux pendant 15 à 25 minutes, jusqu'à ce que les carottes soient cuites «al dente».
Laissez égoutter les carottes dans une passoire.

Mélangez la sauce de soja, le vinaigre, le saké, le sucre, l'oignon et le sel.
Faites mariner les morceaux de carottes dans ce mélange pendant au moins 12 heures. Ensuite, laissez-les bien égoutter. Enfoncez-y les piques et servez-les en hors-d'œuvre, comme accompagnement d'une fondue ou d'un barbecue, ou encore à l'apéritif.
Vous pouvez également préparer cette recette avec des champignons. Dans ce cas, lavez-les et essuyez-les soigneusement, sans autre préparation, et laissez-les macérer pendant 24 heures dans la marinade. Laissez-les bien égoutter. Garnissez-les de piques. Vous pouvez aussi garnir une même pique d'un morceau de carotte et d'un champignon.

122

Lokmas turcs

Ces beignets aux pommes de terre se dégustent arrosés d'un sirop parfumé.

Lokmas turcs

Préparation: 1 heure
Temps de repos: 1 heure 30

Ingrédients pour 4 à 6 personnes:
150 g de farine
3 à 5 cuillerées à soupe de lait
8 g de levure
sel
250 g de pommes de terre cuites
1 cuillerée à café de poudre levante
400 g de sucre
1 sachet de sucre vanillé
4 cuillerées à soupe de jus de citron
4 cuillerées à soupe de grand marnier ou de curaçao

Principaux ustensiles de cuisine:
mixeur-batteur, presse-purée ou mixeur, spatule, friteuse (180 °C)

Préparation:

Tamisez la farine avec du sel. Délayez la levure dans le lait et ajoutez-la à la farine. Pétrissez rapidement ces ingrédients en une pâte souple et laissez lever celle-ci pendant 60 minutes dans un endroit tiède.

Ecrasez les pommes de terre, ajoutez-y la poudre levante, le sucre vanillé et du sel; incorporez cette préparation à la pâte. Pétrissez-la soigneusement et ajoutez-y de temps à autre 1 cuillerée à soupe d'eau chaude, jusqu'à obtention d'une pâte crémeuse et épaisse. Laissez-la ensuite lever pendant 30 à 60 minutes.

Délayez le sucre dans 3 dl d'eau chaude, ajoutez-y le jus de citron. Laissez refroidir, puis mélangez la liqueur au sirop de citron. Faites chauffer la friture à 180 °C.

Avec 2 cuillères, prélevez de petites portions de pâte et faites-les glisser dans la friture. Laissez-les bien dorer. Servez avec le sirop.

Lokmas turcs

Quelques phases de la préparation. De gauche à droite: Ecrasez très finement les pommes de terre cuites. Mélangez la pâte à pain et la purée et veillez à ce qu'il ne se forme pas de bulles dans la préparation. Laissez lentement frire les lokmas.

Croquettes de pommes de terre aux noix

Préparation: 40 minutes

Ingrédients pour 4 personnes:

4 à 6 grosses pommes de terre
sel
150 g de cerneaux de noix hachés
3 œufs
2 cuillerées à soupe de lait
noix de muscade
poivre
chapelure
huile

Principaux ustensiles de cuisine:

presse-purée ou mixeur, papier absorbant, friteuse (180 °C)

Préparation:

Epluchez les pommes de terre, lavez-les et faites-les cuire dans de l'eau salée. Egouttez-les et séchez-les rapidement.

Ecrasez-les à l'aide du presse-purée ou d'un mixeur. Incorporez les noix à la purée.

Battez les œufs avec le lait et relevez de noix de muscade, de poivre et de sel. Ajoutez la quantité nécessaire de ce mélange à la purée de façon à obtenir d'une préparation onctueuse, mais pas trop liquide. Goûtez la purée et rectifiez éventuellement l'assaisonnement.

Formez des boules de purée de la taille d'une balle de ping-pong. Roulez-les dans la chapelure et aplatissez-les légèrement.

Faites chauffer la friture, passez les croquettes dans le reste d'œuf battu puis encore une fois dans la chapelure.

Laissez-les cuire dans la friture jusqu'à ce qu'elles soient dorées.

Garnissez le plat de service de morceaux de citron et de bouquets de persil.

Croquettes de pommes de terre aux noix

Une recette de la cuisine juive. Ces croquettes peuvent se servir comme entrée, comme accompagnement d'un repas léger ou avec l'apéritif.

Croquettes de pommes de terre arabes

Préparation: 50 minutes

Ingrédients pour 4 à 6 personnes:
800 g de pommes de terre
2 cuillerées à soupe de persil haché
2 oignons moyens très finement hachés
poivre du moulin
une bonne pincée de paprika en poudre
2 ou 3 œufs
sel
farine
2 à 2 ½ dl d'huile

Principaux ustensiles de cuisine:
presse-purée ou mixeur, papier absorbant

Préparation:
Lavez les pommes de terre et faites-les cuire. Lorsqu'elles sont cuites, égouttez-les et pelez-les. Réduisez-les en purée à l'aide du presse-purée ou du mixeur.
Ajoutez le persil et les oignons à la purée et assaisonnez généreusement de poivre et de paprika. Incorporez-y les œufs et rectifiez éventuellement l'assaisonnement en sel et en poivre.
N'utilisez le troisième œuf que si la préparation est trop consistante.
Si le mélange est trop liquide, introduisez-y un peu de farine ou de purée de pommes de terre en flocons.
Goûtez la purée, elle doit être très relevée.
Faites chauffer la friture.
Préparez des portions de purée de la taille d'un œuf. Passez-les dans la farine, aplatissez-les légèrement et débarrassez-les de l'excédent de farine.
Laissez cuire ces croquettes assez longuement de façon à ce que les petits morceaux d'oignon soient cuits et qu'elles soient bien chaudes et dorées.
Laissez-les égoutter sur du papier absorbant.
Accompagnez ces croquettes d'une salade contenant du fromage et des noix, ou de viande et de légumes fermes, comme des carottes ou des haricots verts, et d'une sauce tomate.

Galettes de pommes de terre

Préparation: 55 minutes

Ingrédients pour 4 à 6 personnes:
400 g de pommes de terre
1 grosse carotte ou 3 jeunes carottes râpées
3 cuillerées à soupe de persil haché
1 poivron vert coupé en fines lanières
1 oignon finement haché
100 g de jambon cru
une bonne pincée de ve-tsin
2 œufs
poivre
sel
6 tranches de pain de mie sans croûtes
2 cuillerées à soupe de graines de sésame
chapelure

Principaux ustensiles de cuisine:
presse-purée ou mixeur, friteuse (170 °C), écumoire, papier absorbant

Préparation:
Nettoyez et lavez les pommes de terre, faites-les cuire, laissez-les égoutter et pelez-les.
Réduisez-les en purée à l'aide du presse-purée ou du mixeur.
Ajoutez-y les carottes, le persil, le poivron et les oignons.
Emincez très finement le jambon et incorporez-le à la purée, ainsi que le ve-tsin. Mélangez bien: vous devez obtenir une préparation onctueuse mais assez ferme.
Relevez à volonté de poivre et sel. Goûtez la purée qui doit être bien relevée.
Coupez les tranches de pain en deux suivant la diagonale. Répartissez la purée sur les 12 triangles de pain en la faisant bien adhérer. Lissez les côtés avec le bord d'un couteau trempé dans de l'eau.
Saupoudrez la purée de graines de sésame. Faites chauffer la graisse de friture à 170 °C.
Tournez les morceaux de pain garnis de purée dans l'œuf et dans la chapelure et faites-les cuire lentement dans la friture, de manière à ce que l'oignon, la carotte et le poivron soient complètement cuits. Sortez les galettes de la friture lorsqu'elles sont bien dorées et croustillantes.
Servez ces croquettes en accompagnement d'une viande, avec une salade fraîche.

Croquettes de pommes de terre arabes
Quelques phases de la préparation. De haut en bas: Réduisez les pommes de terre en purée. Ajoutez-y le persil, les oignons et les œufs; relevez de poivre et de paprika.
Tournez les portions de purée dans la farine. Faites cuire les croquettes dans l'huile.

Pommes mousseline aux aubergines
Au Moyen-Orient, cette préparation est servie chaude, en hors-d'œuvre ou au cours d'un repas léger. On peut cependant également la consommer froide.

Pommes mousseline aux aubergines

Préparation: 45 minutes

Ingrédients pour 4 à 8 personnes:
500 g d'aubergines
400 g de pommes de terre
2 gousses d'ail pressées
2 cuillerées à soupe de persil haché
40 g de beurre, poivre, sel
quelques feuilles de menthe hachées ou
une bonne pincée de menthe en poudre

Principaux ustensiles de cuisine:
gril, presse-purée ou mixeur

Préparation:
Lavez et essuyez les aubergines.
Préchauffez le gril, déposez les aubergines sous le gril et retournez-les régulièrement jusqu'à ce qu'elles soient bien tendres.
Lavez soigneusement les pommes de terre et faites-les cuire.
Rincez les aubergines chaudes à l'eau froide, épluchez-les et réduisez-les en purée à l'aide du presse-purée ou du mixeur.
Egouttez les pommes de terre, rincez-les à l'eau froide et pelez-les. Réduisez-les également en purée.

Mélangez les purées d'aubergines et de pommes de terre et incorporez-y l'ail, le persil et le beurre.
Si la préparation est trop consistante, allongez-la d'un peu d'eau chaude.
Relevez le mélange de menthe, de poivre et de sel.
Servez tiède ou froid.

Les céréales et les pâtes

Riz pilaf
Pilaf au ragoût d'agneau
Pilaf indien aux amandes et aux raisins
Pilaf aux raisins secs
Pilaf de poisson
Riz au vermicelle arabe
Riz aux amandes et aux poivrons
Riz au curry et aux bananes
Poivrons farcis au poulet
Thon au maïs
Riz aux légumes
Curry de chou-fleur
Riz sauté aux petits pois
Riz à l'indienne
Riz iranien aux foies de poulet
Riz au curry à l'indienne
Riz aux petits pois à l'indienne
Gâteau de riz épicé
Galettes de riz sucrées
Riz aux pommes de terre
Lentilles aux herbes
Couscous
Couscous arabe
Couscous iranien
Couscous israélien
Couscous au poulet et au mouton
Bulgur turc
Nouilles à la mode juive
Nouilles à la turque
Nouilles au poulet

Riz pilaf

Préparation: 10 minutes
Cuisson au four:
20 à 30 minutes

Ingrédients pour 4 personnes:
400 g de riz à grains longs
50 g de beurre
1 petit oignon finement émincé
sel
6 ½ dl de bouillon (de cubes)

Principaux ustensiles de cuisine:
tamis, plat à four avec couvercle, d'une contenance de 1 ½ l, four (180 °C)

Préparation:
Lavez le riz à l'eau courante et laissez-le bien égoutter en secouant de temps à autre la passoire. Faites chauffer le beurre. Faites-y revenir l'oignon en remuant de temps en temps. Ajoutez le riz et continuez à tourner jusqu'à ce qu'il ait légèrement pris couleur. Salez.
Glissez la grille au milieu du four et préchauffez celui-ci.
Portez le bouillon à ébullition. Versez-le sur le riz et tournez dans la casserole jusqu'à ce que l'ébullition reprenne. Laissez cuire 3 à 5 minutes en tournant dans la casserole.
Versez le contenu de la casserole dans le plat à four. Couvrez celui-ci et mettez-le au four. Laissez cuire pendant une vingtaine de minutes.
Retirez le couvercle du plat, vérifiez le degré de cuisson du riz. Il doit avoir absorbé tout le bouillon.
Détachez les grains de riz avec une fourchette, afin de ne pas écraser les grains.
Servez bien chaud.

Riz pilaf
Une recette de base qui accompagne de nombreuses préparations au Moyen-Orient.

Pilaf au ragoût d'agneau
Une délicieuse recette d'agneau ou de mouton, cuit dans une sauce tomate aux herbes.

Pilaf au ragoût d'agneau

Préparation: 1 à 2 heures

Ingrédients pour 4 personnes:
400 g d'épaule d'agneau ou de mouton désossée
1 ¼ dl d'huile d'olive
2 brins de romarin ou 2 cuillerées à café de feuilles séchées trempées dans de l'eau
poivre du moulin, sel
600 g de tomates pelées
1 gousse d'ail
clous de girofle en poudre
une bonne pincée de safran ou de curcuma
400 g de riz pilaf (voir p. 130)

Principal ustensile de cuisine:
presse-purée ou mixeur

Préparation:
Lavez et essuyez la viande. Coupez-la en dés. Faites chauffer 1 dl d'huile, faites-y dorer la viande rapidement de tous les côtés. Arrosez de 1 dl d'eau chaude, et ajoutez 1 brin de romarin, du sel et du poivre. Laissez mijoter la viande.

Coupez les tomates en morceaux, épépinez-les et passez-les au presse-purée.

Faites chauffer le reste de l'huile, faites-y revenir l'ail, le deuxième brin de romarin, les clous de girofle, le safran, le poivre et le sel. Réduisez l'intensité de la source de chaleur au minimum et laissez chauffer quelques minutes l'huile avec les épices.

Retirez l'ail et le romarin du poêlon et mettez-y les morceaux de tomates.

Laissez réduire lentement, puis, versez cette sauce sur la viande ou mettez la viande dans la sauce.

Faites cuire le riz pilaf environ une demi-heure avant la fin de la cuisson de la viande.

Vérifiez le degré de cuisson de la viande, goûtez la sauce et rectifiez éventuellement l'assaisonnement avec du poivre et du sel.

Pilaf indien aux amandes et aux raisins

Pilaf indien aux amandes
et aux raisins
Un plat exotique qui donne du caractère à n'importe quel repas.

Préparation: 15 minutes
Cuisson au four: 20 à 30 minutes

Ingrédients pour 4 personnes:
400 g de riz
150 de raisins secs épépinés
100 g de beurre
1 gros oignon émincé
1 gousse d'ail, pressée ou hachée
6 graines ou une bonne pincée
de cardamome
1 bâton de cannelle ou
½ cuillerée à café de piment haché
½ cuillerée à café de safran ou
de curcuma
6 dl de bouillon de poule chaud (de cubes)
50 g d'amandes grillées effilées

Principaux ustensiles de cuisine:
tamis, plat à four avec couvercle, d'une contenance de 1 ½ l, four (180 °C)

Préparation:
Laissez tremper le riz pendant 2 à 4 heures dans une grande quantité d'eau froide.
Lavez soigneusement les raisins secs à l'eau tiède et laissez-les tremper dans de l'eau chaude pendant quelques heures. Vous pouvez éventuellement les mettre à tremper la veille dans une bouteille isolante remplie d'eau chaude.

Laissez-les bien égoutter et séchez-les avec du papier absorbant.
Egouttez et séchez le riz.
Faites chauffer 35 g de beurre, faites-y revenir les raisins. Retirez-les de la casserole.
Ajoutez-y le reste du beurre et faites-y dorer l'oignon et l'ail.
Glissez la grille au milieu du four et préchauffez celui-ci.
Ajoutez à l'oignon la cardamome et la cannelle ou le piment.
Faites rapidement revenir le riz dans le beurre.
Délayez le safran dans un peu d'eau et assaisonnez-en le riz.
Portez le bouillon à ébullition, versez-le sur le riz et tournez dans la préparation jusqu'à ce que l'ébullition reprenne.
Laissez cuire le riz pendant 3 à 5 minutes.
Versez le contenu de la casserole dans le plat à four, couvrez celui-ci et glissez-le dans le four.
Laissez cuire pendant 15 minutes. Retirez le couvercle du plat et vérifiez si le riz est cuit et si tout le bouillon est bien absorbé.
Détachez les grains de riz à l'aide d'une grande fourchette. N'utilisez pas une cuillère pour cette opération car vous écraseriez le riz. Goûtez le riz et parsemez-le de raisins et d'amandes effilées.
Incorporez-les délicatement dans la préparation et retirez-en éventuellement le bâton de cannelle.
Servez aussi chaud que possible.

La cardamome
La cardamome (Elettaria cardamomum) est la graine de la plante du même nom, qui est originaire d'Inde et du Sri Lanka.
La cardamome est utilisée en cuisine, mais elle entre également dans la fabrication de médicaments et de parfums.
En cuisine, elle est surtout employée sous forme de poudre. Son goût rappelle celui du gingembre, auquel elle est apparentée.
Dans l'industrie pharmaceutique et en parfumerie, on utilise l'huile essentielle, très odorante, que contiennent les graines.

Pilaf aux raisins secs

Préparation: 30 minutes

Ingrédients:
400 g de riz
100 g de raisins secs
4 cuillerées à soupe de beurre
1 oignon émincé
2 dl de vin blanc sec ou de xérès
8 dl de bouillon
poivre
sel

Préparation:
Lavez le riz et séchez-le aussi soigneusement que possible.
Lavez les raisins secs à l'eau tiède et couvrez-

les d'un doigt d'eau bouillante; laissez-les tremper.
Faites chauffer la moitié du beurre et faites-y fondre l'oignon. Versez le vin dans la casserole et laissez réduire.
Ajoutez le riz et le bouillon chaud; tournez dans la préparation jusqu'à ce que l'ébullition reprenne. Réduisez l'intensité de la source de chaleur au minimum.
Egouttez les raisins et pressez-les pour en extraire toute l'eau. Introduisez-les dans le riz après 10 minutes de cuisson.
Laissez la cuisson s'achever.
Mélangez bien le contenu de la casserole à l'aide d'une grande fourchette afin de ne pas écraser les grains de riz.
Rectifiez l'assaisonnement en poivre et en sel selon le goût.

Pilaf de poisson

Préparation: 45 minutes
Marinage: 1 heure

Ingrédients pour 4 personnes:

400 g de filets de soles, de maquereaux, de cabillauds, de colins ou d'églefins, éventuellement surgelés
1 oignon moyen finement haché
2 cuillerées à soupe de persil haché
poivre du moulin
sel
3 dl de vin blanc sec
2 aubergines moyennes
5 cuillerées à soupe d'huile
farine
40 g de beurre
500 g de tomates pelées
une pincée de clous de girofle
une pincée de cannelle
poivre
400 g de riz pilaf (voir p. 130)

Préparation:

Lavez et essuyez le poisson, laissez dégeler le poisson surgelé, coupez-le en petits morceaux. Saupoudrez le poisson d'oignon, de persil, de poivre et de sel; arrosez-le de vin blanc.
Epluchez les aubergines, coupez-les en dés, saupoudrez-les de sel et laissez-les dégorger pendant 15 minutes.

Rincez les morceaux d'aubergines à l'eau courante et séchez-les.
Faites chauffer 4 cuillerées à soupe d'huile, et faites-y dorer les morceaux d'aubergine. Retirez-les de la casserole.
Séchez les morceaux de poisson et passez-les dans de la farine mélangée avec un peu de sel. Faites chauffer le reste de l'huile dans la casserole où vous avez fait dorer les aubergines. Ajoutez-y le beurre, et, dès que le mélange ne mousse plus, faites-y dorer le poisson.
Coupez les tomates en morceaux, épépinez-les et ajoutez-les au poisson ainsi que les clous de girofle, la cannelle, le poivre et, éventuellement, un peu de sel.
Disposez le pilaf chaud sur un plat de service et recouvrez-le du poisson. Nappez le poisson de la sauce tomate.
Réchauffez les aubergines dans la graisse de cuisson du poisson, et garnissez-en le plat.

Pilaf de poisson
Ces filets de poisson frits, servis avec du riz pilaf et des aubergines, et nappés d'une sauce tomate, peuvent constituer un dîner léger.

Riz au vermicelle arabe

Préparation: 20 minutes
Cuisson au four: 20 minutes

Ingrédients pour 4 personnes:
30 g de beurre
60 g de vermicelle
3 cuillerées à soupe de gouda vieux râpé
200 g de riz
1 à 2 dl de bouillon (de cubes)
6 cuillerées à soupe de yaourt épais

Principaux ustensiles de cuisine:
plat à four d'une contenance de 1 l, four
(180 °C)

Préparation:
Glissez la grille au milieu du four et préchauffez celui-ci.
Faites fondre le beurre, brisez le vermicelle
dans la casserole et faites-le dorer.
Arrosez de 8 dl d'eau chaude et incorporez-y le
fromage, le riz et les cubes de bouillon.
Tournez dans la préparation jusqu'à ce que
l'ébullition reprenne.
Couvrez la casserole et réduisez l'intensité de
la source de chaleur au minimum.
Lorsque le riz a cuit de 3 à 5 minutes, versez-le
dans le plat à four. Mettez le plat au four
jusqu'à cuisson complète.

Avant de servir, incorporez délicatement le
yaourt, à l'aide d'une fourchette pour ne pas
écraser les grains de riz.

Riz au vermicelle arabe
*Ce pilaf arabe acquiert une saveur
particulièrement fine par l'adjonction
de yaourt.*
*A gauche: Quelques phases de la
préparation.*
*De gauche à droite et de haut en bas:
Faites dorer le vermicelle dans le
beurre. Ajoutez-y de l'eau chaude.
Ajoutez le fromage.
Incorporez le riz dans le bouillon.*

135

Riz aux amandes et aux poivrons

Préparation: 25 minutes

Ingrédients pour 4 personnes:
400 g de riz à grains longs
100 g de beurre, sel
75 g d'amandes mondées ou de cacahuètes
2 poivrons verts
½ bouquet de persil

Principal ustensile de cuisine:
tamis ou passoire

Préparation:
Lavez le riz à l'eau courante et séchez-le aussi bien que possible. Faites fondre 40 g de beurre et laissez-y rapidement revenir le riz.
Versez 1 l d'eau bouillante dans une casserole. Ajoutez-y le riz et du sel; tournez dans la casserole jusqu'à ce que l'ébullition reprenne. Couvrez la casserole et laissez cuire à petit feu pendant une vingtaine de minutes.
Entre-temps, hachez les amandes.
Lavez et essuyez les poivrons, retirez-en les graines et les côtes, et coupez-les en fines lanières. Lavez le persil et essorez-le.
Egouttez le riz, ajoutez-y le reste du beurre, les amandes et les lanières de poivron.
Goûtez-le, rectifiez éventuellement l'assaisonnement en poivre et en sel et saupoudrez de persil haché.

Riz aux amandes et aux poivrons
En été, ce mets original peut également se servir froid.

Riz au curry et aux bananes

Préparation: 35 minutes

Ingrédients pour 4 personnes:
350 g de riz, 40 g de beurre
6 cuillerées à soupe d'huile
8 dl de bouillon de bœuf ou de poule, éventuellement préparé avec des cubes
1 grosse pomme à couteau, 3 ou 4 bananes
2 cuillerées à café de farine
1 cuillerée à café de curry, poivre, sel
3 cuillerées à soupe de crème ou de lait concentré

Principaux ustensiles de cuisine:
vide-pomme, tamis

Préparation:
Lavez et séchez le riz. Faites chauffer 2 cuillerées à soupe d'huile. Faites-y revenir le riz, mélangez bien et salez. Ajoutez-y 7 dl de bouillon et tournez dans la préparation jusqu'à ce que l'ébullition reprenne. Couvrez la casserole, réduisez l'intensité de la source de chaleur et laissez la cuisson se poursuivre.
Faites chauffer le reste de l'huile et faites-y fondre l'oignon.
Videz et épluchez la pomme, coupez-la en très petits morceaux et faites-la cuire avec l'oignon. Saupoudrez de farine et de curry, mélangez bien le tout et arrosez avec le reste de bouillon. Laissez cuire et épaissir en tournant, passez la sauce au tamis et ajoutez-y la crème.
Rectifiez-en éventuellement l'assaisonnement en sel et en poivre.
Epluchez les bananes. Coupez-les en deux dans le sens de la longueur.
Faites chauffer le beurre et faites-y rapidement revenir les bananes des deux côtés.
Retirez le riz de la casserole avec une grande fourchette. Nappez-le de sauce et garnissez-le de demi-bananes.

Poivrons farcis au poulet
Lavez et essuyez 8 poivrons verts. Coupez-en un chapeau et retirez-en les graines et les grosses côtes.
Coupez 200 g de poulet cuit en petits morceaux. Faites fondre un petit oignon émincé dans 3 cuillerées à soupe de beurre fondu. Ajoutez-y 3 cuillerées à soupe de farine et 2 cuillerées à soupe de purée de tomates.
Glissez la grille au milieu du four. Préchauffez celui-ci à 200 °C. Arrosez le mélange à la purée de tomates avec 2 ½ dl de bouillon, tournez dans la préparation et incorporez-y le poulet et 400 g de riz cuit.
Goûtez ce mélange et ajoutez éventuellement un peu de poivre, de sel et de sucre. Remplissez-en les poivrons.
Disposez-les dans un plat à four et arrosez-les de 2 ½ dl de bouillon.
Laissez cuire au four pendant 25 à 30 minutes. Il faut que tous les ingrédients soient parfaitement chauds.

Thon au maïs

Préparation: 25 minutes

Ingrédients pour 4 personnes:
2 boîtes de thon au naturel de 220 g
2 boîtes de maïs de 1 l
4 cuillerées à soupe de sauce tomate piquante
45 g de beurre, 40 g de farine
1 oignon moyen haché
3 dl de bouillon de 1 cube
1 boîte de ½ l de petits pois très fins
4 cuillerées à soupe de poivrons à l'aigre-doux
(en bocal)
4 cuillerées à soupe de ciboulette ou
de persil haché, poivre, sel

Principal ustensile de cuisine:
tamis ou passoire

Préparation:
Laissez égoutter le thon et le maïs. Réduisez le thon à l'aide de deux fourchettes. Enlevez les arêtes et les peaux. Mélangez les morceaux de thon, le maïs et la sauce tomate. Faites chauffer le beurre, mélangez-y la farine et laissez-la prendre couleur.
Faites rapidement revenir l'oignon dans ce roux. Ajoutez-y le bouillon ainsi que le jus des boîtes de thon et de maïs, jusqu'à obtention d'une sauce épaisse et lisse.
Laissez égoutter les petits pois et ajoutez-les à la sauce, ainsi que les lanières de poivrons. Incorporez-y aussi le mélange de thon et de maïs; faites bien chauffer le tout. Incorporez-y la ciboulette ou saupoudrez de persil juste avant de servir. Rectifiez éventuellement l'assaisonnement en sel et en poivre; servez aussi chaud que possible.

Riz aux légumes

Préparation: 40 minutes

500 g de tomates pelées
50 g de champignons
une pincée de marjolaine
2 cuillerées à soupe de persil haché

Ingrédients pour 4 personnes:
400 g de riz
40 g de beurre
1 gros oignon haché
1 gousse d'ail pressée
1 ou 2 carottes, 1 branche de céleri blanc
4 cuillerées à soupe d'huile
1 l de bouillon de cubes
2 dl de vin blanc sec
poivre du moulin, sel

Principaux ustensiles de cuisine:
tamis, râpe ou mixeur

Préparation:
Lavez et séchez le riz.
Faites fondre le beurre et faites-y revenir la moitié de l'oignon. Ajoutez-y le riz, laissez légèrement dorer celui-ci, en tournant dans la préparation pour bien répartir la matière grasse. Salez et laissez cuire le riz à petit feu, pendant 5 minutes. Tournez de temps à autre dans la casserole et éteignez la source de chaleur.
Nettoyez, lavez et râpez les carottes. Lavez le céleri et coupez-le en petits tronçons.
Préchauffez le reste de l'huile et faites-y blondir le reste de l'oignon et l'ail. Ajoutez-y les carottes et le céleri.
Portez le bouillon à ébullition. Versez-en la moitié dans la casserole contenant le riz et tournez dans la préparation jusqu'à ce que l'ébullition reprenne.
Laissez cuire le riz à feu très doux.
Ajoutez le vin aux légumes. Poivrez à volonté.
Coupez les tomates en morceaux, épépinez-les et incorporez-les aux légumes.

Riz aux légumes
Une recette à base de riz qui est très appréciée en Occident.

Lavez les champignons, coupez-les en fines tranches dans le sens de la longueur, ajoutez-les aux légumes avec la marjolaine.

Tournez dans le riz. Versez encore 2 à 3 dl de bouillon sur le riz et laissez la cuisson s'achever à feu doux.

Ajoutez le persil aux légumes, arrosez avec le reste du bouillon et tournez. Goûtez la sauce. Servez-la en saucière ou nappez-en le riz.

Curry de chou-fleur

Préparation: 40 minutes

Ingrédients pour 4 personnes:
350 g de riz à grains longs
1 petit chou-fleur, 60 g de beurre
une pincée de poivre de Cayenne, sel
1 oignon moyen haché
1 gousse d'ail pressée
2 piments verts émincés
½ cuillerée à café de graines de cumin
1 cuillerée à café de curry
2 dl de yaourt

Préparation:
Lavez le riz et portez 7 dl d'eau salée à ébullition. Versez-y le riz et tournez dans la casserole jusqu'à ce que l'ébullition reprenne. Réduisez l'intensité de la source de chaleur et laissez cuire le riz à tout petit feu.

Lavez le chou-fleur et partagez-le en bouquets. Faites chauffer le beurre, faites-y revenir rapidement le chou-fleur. Saupoudrez de poivre de Cayenne et de sel.

Retirez les morceaux de chou-fleur de la casserole et faites-y blondir l'oignon avec l'ail et les piments.

Remettez le chou-fleur dans la casserole, ajoutez le cumin et le curry et suffisamment d'eau pour que les légumes soient à moitié immergés.

Laissez cuire à feu doux pendant une dizaine de minutes, ajoutez le yaourt et goûtez la sauce. Rectifiez-en éventuellement l'assaisonnement en sel.

Servez les légumes en sauce avec le riz, ou dans deux récipients séparés.

Curry de chou-fleur
Une façon exotique de présenter le chou-fleur.

Riz sauté aux petits pois
Cette préparation, accompagnée d'un steak haché et d'oignons rissolés constitue un excellent repas complet.

Riz sauté aux petits pois

Préparation: 35 minutes

Ingrédients pour 4 personnes:
400 g de riz, 1 dl d'huile
450 g de petits pois surgelés ou en boîte
1 gros oignon émincé
3 cuillerées à soupe de sauce de soja
poivre du moulin, sel
2 cuillerées à soupe de persil haché

Préparation:
Lavez et séchez le riz. Portez 1 l d'eau à ébullition. Versez-y le riz avec un peu de sel et tournez dans la casserole jusqu'à ce que l'ébullition reprenne. Couvrez la casserole, réduisez l'intensité de la source de chaleur et laissez cuire le riz à feu doux jusqu'à ce qu'il ait absorbé presque toute l'eau.

Laissez dégeler ou égoutter les petits pois.
Faites chauffer l'huile et faites-y blondir l'oignon.
Versez le riz dans un tamis ou une passoire, rincez-le à l'eau courante froide et laissez-le égoutter. Ajoutez-le à l'oignon et laissez-le légèrement dorer en tournant fréquemment dans la préparation. Ajoutez-y la sauce de soja et les petits pois. Poivrez et arrosez d'un peu d'eau afin d'éviter que le riz brûle.
Laissez cuire les petits pois surgelés à point.
Rectifiez l'assaisonnement en sel et en poivre et saupoudrez de persil.

Riz à l'indienne

Préparation: 25 minutes

Ingrédients pour 4 personnes:
300 à 400 g de riz à grains longs
sel

Principal ustensile de cuisine:
tamis

Préparation:
Lavez le riz en frottant les grains entre vos mains. Versez-le dans un tamis et rincez-le à l'eau bouillante.
Portez à ébullition un volume d'eau égal à deux fois celui du riz.
Ajoutez 4 g ou 1 cuillerée à café de sel par litre d'eau.
Versez le riz en pluie dans l'eau bouillante et tournez dans la casserole jusqu'à ce que l'ébullition reprenne.
Couvrez la casserole, réduisez l'intensité de la source de chaleur au minimum et laissez cuire pendant 18 à 22 minutes, d'après la taille du grain.
Ajoutez éventuellement à l'eau de cuisson du riz 1 cuillerée à soupe de jus de citron ou de vinaigre pour que le riz reste parfaitement blanc.
Retirez le riz de la casserole à l'aide d'une fourchette en évitant d'écraser les grains, ce qui nuirait au goût comme à l'esthétique du plat.
Si vous cuisez le riz dans un autocuiseur, n'ajoutez-y que 1 ½ fois le volume du riz en eau.
Eteignez la source de chaleur dès que l'auto-cuiseur est arrivé sous pression.
Ouvrez la casserole après 12 minutes et servez le riz aussi chaud que possible ou accommodez-le à votre goût.

Riz à l'indienne
Ce riz, qui peut servir de base à d'autres recettes, se sert aussi chaud que possible.

Riz iranien aux foies de poulet

Préparation: 45 minutes

Ingrédients pour 6 personnes:
100 g de graisse de poule ou de beurre
10 à 12 foies de poulet
250 g de carottes d'hiver
2 oignons moyens
1 petit bouquet de persil
300 g de riz à grains longs ou moyens
1 l de bouillon de poule ou d'eau
3 cuillerées à soupe de curcuma
poivre, sel
ail en poudre
2 grosses tomates

Principaux ustensiles de cuisine:
cocotte à fond épais et couvercle hermétique

Préparation:
Faites chauffer la graisse de poule ou le beurre dans une cocotte et faites-y cuire les foies de poulet.
Ensuite, coupez-les en morceaux.

Râpez les carottes, découpez les oignons et hachez le persil. Mettez ces ingrédients dans la graisse de cuisson des foies et laissez revenir 5 minutes. Les oignons ne doivent pas trop brunir.

Ajoutez-y le riz, le bouillon de poule ou l'eau, le curcuma, le poivre, le sel, l'ail en poudre et les morceaux de foies de volaille. Couvrez la casserole et laissez cuire tout doucement, jusqu'à ce que le riz ait absorbé tout le liquide. Epluchez les tomates, coupez-les en petits morceaux et mélangez-les au riz chaud.

Riz au curry à l'indienne
Un ragoût, une salade et ce riz au curry forment un repas complet haut en couleurs.

Riz au curry à l'indienne

Préparation: 15 minutes
Cuisson au four: 20 à 30 minutes

Ingrédients pour 4 personnes:
300 à 400 g de riz
80 g de beurre
1 gros oignon haché
1 cuillerée à café de curry
6 à 8 dl de bouillon de cubes

Principaux ustensiles de cuisine:
tamis, plat à four d'une contenance de 1 ½ l avec couvercle, four (180 °C)

Préparation:
Lavez soigneusement le riz, mettez-le dans un tamis et arrosez-le d'eau froide.
Laissez fondre la moitié du beurre, faites-y blondir l'oignon et ajoutez le curry. Laissez revenir le tout en tournant pour que le curry n'attache pas au fond de la casserole, ce qui donnerait un goût amer au riz.
Glissez la grille au milieu du four et préchauffez celui-ci.

Faites chauffer le bouillon dans la casserole contenant l'oignon et le curry, et versez-y le riz.
Salez et tournez dans le bouillon jusqu'à ce que l'ébullition reprenne.
Laissez cuire pendant 3 à 5 minutes en continuant à tourner, puis, versez le contenu de la casserole dans le plat à four.
Couvrez le plat et mettez-le au four.

Laissez cuire le riz pendant une dizaine de minutes, puis, vérifiez s'il est suffisamment cuit et s'il a absorbé tout le liquide.
Posez le reste du beurre sur le riz et détachez les grains avec une fourchette.

Si vous ne disposez pas d'un four, vous pouvez également laisser s'achever la cuisson du riz dans la casserole, à tout petit feu.

Accompagnez le riz au curry d'un ragoût de veau ou de poulet, d'une omelette nature ou au poisson ou encore de crevettes avec du poisson étuvé et des légumes, par exemple des petits pois, des carottes ou une salade mixte.

Riz aux petits pois à l'indienne

Préparation: 30 à 35 minutes

Ingrédients pour 4 personnes:

300 g de riz, 50 g de beurre, poivre, sel
1 oignon moyen haché, 2 gousses d'ail pres-
sées, 1 cuillerée à café de curry
300 g de petits pois surgelés
1 cuillerée à café de graines de cumin
1 cuillerée à soupe de persil haché
1 tomate pelée coupée en rondelles
1 œuf dur coupé en rondelles
quelques rondelles de concombre

Préparation:

Lavez le riz et laissez-le bien égoutter. Faites chauffer le beurre et faites-y fondre l'oignon et l'ail, puis ajoutez-y le curry, mais faites bien attention à ce qu'il n'attache pas au fond de la casserole. Ajoutez les petits pois. Faites-les dégeler à feu doux, puis laissez cuire pendant 5 minutes.

Ajoutez environ 6 dl d'eau, portez à ébullition, versez-y le riz, le cumin et du sel; tournez dans la préparation jusqu'à ce que l'ébullition reprenne.

Couvrez la casserole, réduisez l'intensité de la source de chaleur et poursuivez la cuisson jusqu'à ce que le riz et les petits pois soient presque cuits.

Vérifiez si le riz est suffisamment cuit, incorporez-y, à l'aide d'une fourchette, la moitié du persil.

Versez le riz sur un plat, décorez de rondelles de tomates, d'œufs et de concombre; saupoudrez du reste du persil.

Saupoudrez la garniture d'un peu de poivre.

Riz aux petits pois à l'indienne
Un plat décoratif composé de riz et de légumes.

Gâteau de riz épicé

Préparation: 30 minutes
Cuisson au four:
35 à 40 minutes

Gâteau de riz épicé
Un hors-d'œuvre ou repas léger que l'on peut préparer avec un reste de riz cuit.

Ingrédients pour 8 à 12 personnes:
300 g de restes de riz ou de riz au curry cuit
150 g de farine
poivre, sel
30 g de beurre, 2 œufs
2 ½ dl de lait
100 g de gouda vieux râpé
2 cuillerées à soupe de persil haché
4 cuillerées à soupe de purée de tomates
beurre pour le plat ou le moule
2 cuillerées à soupe de paprika

Principaux ustensiles de cuisine:
mixeur, plat à four ou moule à tarte d'un diamètre de 20 à 24 cm, four (200 °C)

Préparation:
Détachez les grains de riz à l'aide d'une fourchette.
Cassez un œuf, réservez le blanc et battez le jaune avec l'autre œuf entier. Incorporez ce mélange au riz. Ajoutez-y la farine et travaillez le tout en une pâte consistante.

Relevez de poivre et éventuellement de sel. Si la préparation est trop ferme, ajoutez-y un peu d'eau, si elle est trop liquide, un peu de farine. Faites fondre le beurre, incorporez-y 25 g de farine en tournant, puis, en tournant toujours, le lait, petit à petit. Continuez à tourner dans ce mélange jusqu'à obtention d'une sauce lisse et épaisse.
Incorporez-y le fromage, le persil et la purée de tomates.

Beurrez le plat ou le moule. Glissez la grille au milieu du four et préchauffez celui-ci. Foncez le plat de pâte au riz. Couvrez uniformément le fond et les bords de façon à obtenir une croûte de pâte.

Battez le blanc d'œuf réservé en neige ferme. Incorporez-le délicatement à la sauce au fromage. Versez ce mélange dans le moule. Egalisez bien la surface à l'aide d'un couteau mouillé et saupoudrez de paprika.

Glissez le plat dans le four.
Laissez cuire et dorer.
Laissez refroidir le gâteau pendant quelques instants, démoulez-le et servez chaud.

Galettes de riz sucrées

Préparation: 25 minutes

Galettes de riz sucrées
Un délicieux dessert fait avec des restes de riz cuit.

Ingrédients pour 4 personnes:
200 g de riz cuit
2 œufs
4 à 6 cuillerées à soupe de farine
2 ou 3 cuillerées à soupe de lait
4 cuillerées à soupe de cassonade brune
1 sachet de sucre vanillé
le zeste râpé de ½ citron
une pincée de cannelle, huile

Principal ustensile de cuisine:
mixeur

Préparation:
Détachez les grains de riz à l'aide d'une fourchette.
Battez les œufs avec 4 cuillerées à soupe de farine et incorporez ce mélange au riz. Ajoutez un peu de farine si la préparation est trop

liquide ou un peu de lait si elle est trop consistante. Incorporez au mélange la cassonade et le sucre vanillé, le zeste de citron et la cannelle.
Faites chauffer l'huile dans une poêle.
Introduisez des portions de pâte dans l'huile chaude en les faisant glisser d'une cuillère. Faites dorer les galettes d'un côté, puis de l'autre. Réduisez l'intensité de la source de chaleur avant de les retourner, ainsi tous les ingrédients auront le temps de cuire. Présentez ces galettes au dessert, saupoudrées de sucre impalpable et de cannelle.

Riz aux pommes de terre

Préparation: 35 minutes

Ingrédients pour 4 personnes:

350 g de pommes de terre, 300 g de riz
250 g d'oignons pelés
100 g de beurre
7 dl de bouillon de viande ou de poule, éven-
tuellement préparé avec des cubes
une bonne pincée de clous de girofle en
poudre
2 gousses d'ail pressées
3 morceaux de gingembre, frais ou en conserve
une pincée de curcuma
une pincée de coriandre
une pincée de poivre de Cayenne
persil haché, poivre, sel
2 tomates pelées coupées en tranches

Préparation:

Lavez et épluchez les pommes de terre, coupez-
les en bâtonnets de 1 cm d'épaisseur.
Coupez les oignons en très fines rondelles.
Faites chauffer 70 g de beurre et faites-y fondre les oignons.

Essuyez les morceaux de pommes de terre et
faites-les dorer avec les oignons, en les tournant régulièrement.
Lavez le riz, laissez-le bien égoutter et ajoutez-
le aux oignons et aux pommes de terre.
Faites chauffer le bouillon. Lorsqu'il est bien
chaud, versez-en 2 ½ dl dans la casserole contenant les autres ingrédients. Salez et tournez
dans la préparation jusqu'à ce que l'ébullition
reprenne.
Après 5 minutes de cuisson, ajoutez 2 ½ dl de
bouillon très chaud, ainsi que les clous de girofle, l'ail, le gingembre, le curcuma, la coriandre et le poivre de Cayenne. Portez à nouveau
le tout à ébullition et ajoutez 2 dl de bouillon
chaud.
Réduisez l'intensité de la source de chaleur et
laissez la cuisson du riz et des pommes de terre
s'achever.
Relevez de poivre et de sel.
Retirez la préparation de la casserole à l'aide
d'une fourchette et disposez-la sur un plat de
service.
Décorez à volonté de persil et de rondelles de
tomates; accompagnez d'une viande ou d'un
poisson en sauce, et de légumes.

Riz aux pommes de terre
Un riz bien relevé cuit avec des pom-
mes de terre. Si vous ajoutez un
piment à cette recette pakistanaise,
elle n'en prendra que plus de
caractère.

Lentilles aux herbes
Cette recette du Moyen-Orient y est très appréciée en raison de sa saveur fraîche et aromatisée.

Lentilles aux herbes

Préparation:
1 heure 10
Trempage: 12 heures

Ingrédients pour 4 personnes:
150 g de lentilles, 300 g de courgettes
2 petites feuilles de laurier
un brin ou une pincée de marjolaine
2 pommes de terre épluchées et coupées en morceaux, 5 cuillerées à soupe d'huile
1 oignon moyen coupé en rondelles
le jus de 1 gros citron, 1 gousse d'ail pressée
une pincée de fenouil, de basilic, de romarin et de cumin
poivre, sel, 1 cuillerée à soupe de persil haché

Préparation:
Lavez les lentilles, couvrez-les de deux doigts d'eau chaude et laissez-les tremper pendant 10 à 12 heures. Laissez-les bien égoutter. La «nouvelle récolte» ne doit pas être trempée. Portez à ébullition 8 dl d'eau additionnée de sel, de laurier et de marjolaine. Mettez-y les lentilles et les pommes de terre, réduisez l'intensité de la source de chaleur et laissez cuire pendant 10 minutes.
Faites revenir l'oignon dans l'huile.
Lavez les courgettes et coupez-les en rondelles épaisses. Laissez-les étuver avec l'oignon. Arrosez de jus de citron, ajoutez l'ail pressé et toutes les herbes. Ajoutez ce mélange aux lentilles et aux pommes de terre et laissez s'achever la cuisson.
Laissez égoutter et enlevez les feuilles de laurier et le brin de marjolaine. Incorporez le persil et rectifiez éventuellement l'assaisonnement en poivre et en sel.
Servez le jus de cuisson et à part.

Couscous

Préparation: 2 heures

Ingrédients pour 4 à 6 personnes:
350 g de semoule de blé à gros grains
1 cuillerée à soupe d'huile
safran, curcuma, paprika en poudre
sel, farine, beurre

Principaux ustensiles de cuisine:
plat en faïence, couscoussier (ou autocuiseur, ou passoire métallique s'ajustant sur une casserole), linge

Préparation:
Versez la semoule dans le plat. Aspergez-la d'un peu d'eau à partir d'une certaine hauteur. Répétez cette opération plusieurs fois. Arrosez goutte à goutte avec de l'huile et salez légèrement.
Travaillez toujours la semoule d'une main pour éviter que les grains ne s'agglomèrent.
Continuez à asperger et à travailler la semoule jusqu'à ce qu'elle soit légèrement gonflée, mais que le plat reste sec. Mélangez éventuellement un peu de paprika ou de safran à la préparation. Veillez à ne pas écraser la semoule en la travaillant.
Mettez la semoule dans la partie supérieure du couscoussier. Remplissez la partie inférieure jusqu'aux trois quarts d'eau bouillante légèrement salée.
Laissez reprendre l'ébullition et laissez bouillir l'eau à gros bouillons. Mouillez le linge d'eau additionnée de farine et mettez-le autour du couscoussier, à la jonction de ses deux parties. Laissez cuire à la vapeur pendant une vingtaine de minutes.
Mettez la semoule sur un plat. Plongez les deux mains dans l'eau froide, et passez le couscous entre les mains pour bien séparer les grains. Répétez cette opération jusqu'à ce que le couscous soit à nouveau bien granuleux. Mouillez en même temps les parois du plat. Remettez le couscous dans la partie supérieure du couscoussier et laissez-le à nouveau cuire 20 minutes à la vapeur. Détachez à nouveau les grains de la même façon et mélangez-y graduellement le beurre.

Couscous arabe

Préparation: 2 heures

Ingrédients pour 6 personnes:
500 g de couscous (voir ci-dessus)
1 poulet de 1 kg nettoyé et coupé en morceaux
800 g d'épaule ou de poitrine de mouton
300 g de tomates pelées, 2 oignons épluchés,
500 g de potiron, 3 petits poireaux nettoyés
300 g de fèves en boîte ou en bocal
300 g de pois chiches en boîte, poivre
1 piment, sel, 500 g de saindoux
⅓ cuillerée à café de clous de girofle en poudre, une bonne pincée de cumin

Principaux ustensiles de cuisine:
tamis, couscoussier (ou autocuiseur, ou passoire métallique s'ajustant sur une casserole), écumoire, grand plat en faïence

Préparation:
Rincez le couscous et laissez-le gonfler pendant 10 minutes. Faites cuire le couscous à la vapeur ou suivez les instructions qui figurent sur l'emballage. Lavez la viande et coupez-la en morceaux.
Portez à ébullition 1 l d'eau et 15 g de sel et faites-y cuire la viande.
Coupez le potiron en morceaux, épluchez-les, épépinez-les et coupez-les en bâtonnets. Coupez les tomates en tranches épaisses et épépinez-les. Coupez les oignons en rondelles. Ajoutez ces légumes à la viande. Coupez le vert des poireaux et ajoutez-les également à la viande, ainsi que les fèves des marais avec leur jus de conservation. Rincez les pois chiches à l'eau chaude et incorporez-les également à la viande.
Ajoutez du poivre, le piment, les clous de girofle et le cumin et laissez bien cuire tous ces ingrédients. Réchauffez le couscous à la vapeur, au-dessus du ragoût.
Retirez la viande et les légumes de leur jus de cuisson à l'aide d'une écumoire. Goûtez le couscous et ajoutez-y éventuellement un peu de sel. Disposez le couscous sur un plat de service préchauffé, garnissez avec la viande et les légumes, et arrosez avec une partie du jus de cuisson.

Couscous arabe
Du Maghreb à l'Iran, le couscous tient la place que le riz occupe en Asie. On peut le préparer soi-même ou l'acheter précuit.
Quelques phases de la préparation.
De haut en bas: Mettez la semoule dans un grand plat en faïence, humidifiez-la quelques fois avec de l'eau et de l'huile et ajoutez-y un peu de sel.
Travaillez plusieurs fois la semoule en la faisant rouler entre les deux mains, puis remettez-la dans le plat.
Introduisez la semoule dans la partie supérieure du couscoussier et remplissez la partie inférieure d'eau bouillante salée.
Mouillez un linge d'eau additionnée de farine, repliez-le plusieurs fois et fixez-le au point de jonction des deux parties du couscoussier. Faites cuire le couscous.
Disposez le couscous ainsi que la viande et les légumes sur un plat de service préchauffé en faïence et accompagnez d'une bonne quantité de jus de cuisson.

149

Couscous au poulet et au mouton

Préparation:
1 heure 30 à 2 heures

Ingrédients pour 6 personnes:
500 g de couscous (voir p. 148)
1 poulet de 1 kg nettoyé et coupé en morceaux
400 g d'épaule de mouton ou d'agneau en tranches, 3 branches de céleri blanc
200 g de potiron, 4 carottes moyennes
400 g de tomates pelées, 1 gros oignon haché
1 petite boîte de fonds d'artichauts
½ boîte de fèves des marais
½ boîte de petits pois, 75 g de beurre
⅓ cuillerée à soupe de poivre de Cayenne
½ cuillerée à café de clous de girofle en poudre, poivre du moulin, sel
une bonne pincée de cumin en poudre

Principaux ustensiles de cuisine:
passoire ou tamis, couscoussier (ou autocuiseur, ou passoire s'ajustant sur une casserole), écumoire, grand plat en faïence

Préparation:
Rincez le couscous à l'eau courante. Laissez-le gonfler pendant 20 à 30 minutes ou suivez les indications de l'emballage.
Remplissez le couscoussier aux trois quarts d'eau salée et laissez cuire le couscous à la vapeur pendant environ 20 minutes. Eteignez la source de chaleur.
Entre-temps, lavez les morceaux de poulet et de mouton. Faites-les cuire 30 à 40 minutes, à feu doux, dans 1 l d'eau additionnée de 1 cuillerée à soupe de sel.
Coupez le potiron en morceaux, épluchez-les, épépinez-les et coupez-les en dés. Grattez les carottes et coupez-les en fines rondelles.

Coupez les tomates en tranches épaisses et épépinez-les. Lavez les branches de céleri et coupez-les en tronçons de 1 ½ cm d'épaisseur. Laissez égoutter les fonds d'artichauts et coupez-les en deux ou en trois. Réservez leur jus de conservation.
Ajoutez le potiron, les carottes, les tomates, le céleri et l'oignon au poulet et au mouton. Tournez jusqu'à ce que l'ébullition ait repris et laissez cuire les légumes à feu doux.
Laissez égoutter les fèves et les petits pois et ajoutez leur jus de conservation à celui des fonds d'artichauts.
Faites fondre le beurre dans une casserole, incorporez-y le poivre de Cayenne, les clous de girofle et le cumin; réchauffez-y les morceaux de fonds d'artichauts, les fèves des marais et les petits pois. Remuez régulièrement ces légumes. Vérifiez si le poulet et le mouton sont cuits.
Mettez le ragoût dans le bas du couscoussier. Laissez reprendre l'ébullition du ragoût, laissez bien réchauffer le couscous tout en veillant à ce qu'il ne devienne pas trop mou et disposez-le en cône sur un grand plat préchauffé.
Retirez le poulet et le mouton du couscoussier. Mélangez également les légumes aux fonds d'artichauts, aux fèves et aux petits pois.
Disposez tous les légumes au milieu du couscous et rangez la viande et le poulet tout autour.
Allongez le jus de cuisson de la viande et des légumes avec le jus de conservation laissé en attente. Réchauffez bien ce mélange et rectifiez-en éventuellement l'assaisonnement avec du sel et du poivre. Versez un peu de jus de cuisson sur le couscous et servez le reste à part.

Couscous au poulet et au mouton
Un plat typique de la cuisine arabe traditionnelle.

Bulgur turc

Préparation: 1 heure 20

Ingrédients pour 4 personnes:
500 g de bulgur (grains de blé cuits à la vapeur et décortiqués)
75 g de beurre
3 gros oignons émincés
5 dl de bouillon de poule frais ou préparé avec des cubes, sel

Préparation:
Lavez le bulgur et laissez-le bien égoutter. Faites chauffer le beurre et faites-y dorer les oignons en les retournant régulièrement.
Ajoutez-y le bulgur et laissez cuire et dorer pendant 10 à 15 minutes, en mélangeant bien. Réchauffez le bouillon, versez-le dans la casserole avec le bulgur et tournez jusqu'à ce que l'ébullition reprenne. Salez à volonté, couvrez la casserole et laissez cuire à feu très doux pendant environ 1 heure.

Nouilles à la mode juive

Ingrédients pour 4 personnes:
400 g de nouilles
sel
80 g de raisins secs sans pépins
2 dl de jus de viande
éventuellement en sachet
150 g de poulet cuit
100 g de cacahuètes coupées en deux ou
d'amandes effilées
chapelure

Principaux ustensiles de cuisine:
plat à four, pinceau à badigeonner, four
(220 °C)

Préparation:
Laissez cuire les nouilles dans une grande
quantité d'eau salée, suivant les instructions de
l'emballage. Cuisez-les «al dente». Lavez les
raisins secs.

Réchauffez le jus de viande ou préparez-le suivant les instructions de l'emballage.
Coupez le poulet en petits morceaux. Versez le
jus sur les nouilles cuites.

Beurrez un plat à four, glissez la grille au
milieu du four et préchauffez celui-ci.
Versez ⅓ des nouilles dans le plat à four, couvrez avec ⅓ des raisins, ⅓ du poulet et ⅓ des
noix; répétez cette opération deux fois.
Recouvrez le plat d'une fine couche de chapelure et répartissez-y le reste du beurre coupé en
noisettes.
Mettez le plat au four et laissez-en bien chauffer et dorer le contenu.

Le jus de viande peut éventuellement être remplacé par 4 cuillerées à soupe d'huile dans
laquelle vous aurez fait revenir 1 ½ cuillerée à
soupe de sauge et de romarin frais ou séchés et
trempés au préalable dans de l'eau.
Tamisez cette huile au-dessus des pâtes.

Nouilles à la mode juive
Quelques phases de la préparation.
De gauche à droite: Versez le jus de
viande sur les nouilles cuites. Rem-
plissez le plat de nouilles, de raisins,
de viande et de noix.

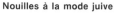

Nouilles à la turque

Préparation: 20 minutes
Cuisson au four: 20 à 25 minutes

Ingrédients pour 4 personnes:
400 g de nouilles, sel
80 g de raisins secs
80 g de beurre
une bonne pincée de cannelle
une bonne pincée de clous de girofle en pou-
dre ou de poivre de Cayenne
100 g de cacahuètes coupées en deux ou
d'amandes effilées
poivre

Principaux ustensiles de cuisine:
plat à four, pinceau à badigeonner, four
(220 °C)

Préparation:
Laissez cuire les nouilles dans l'eau bouillante
salée, suivant les instructions qui figurent sur
l'emballage. Cuisez-les «al dente». Lavez les
raisins secs.
Egouttez les pâtes et rincez-les éventuellement
à l'eau froide.

Beurrez un plat à four. Glissez la grille au
milieu du four et préchauffez celui-ci.
Incorporez aux nouilles le reste du beurre ainsi
que la cannelle, les clous de girofle ou le poivre
de Cayenne, les amandes et les raisins.
Goûtez et rectifiez éventuellement l'assaisonnement avec de la cannelle, du poivre et du sel.
Versez les pâtes dans le plat à four. Laissez
bien chauffer au four et servez immédiatement.

Nouilles à la turque
Les raisins et la cannelle donnent aux
nouilles une saveur sucrée alors que
les clous de girofle et le poivre de
Cayenne leur confèrent une note
piquante.

155

Nouilles au poulet

Préparation: 1 heure 40
Temps de repos: 1 heure

Nouilles au poulet

Cette recette qui, à base de nouilles et de poulet, nappés d'une sauce au lait de coco, nous vient de Birmanie.

Ingrédients:

1 poulet nettoyé d'environ 1 kg
½ cuillerée à café de safran ou de curcuma
2 cubes de bouillon de poule
3 gros oignons émincés, 2 gousses d'ail pressées
2 cuillerées à soupe de gingembre émincé frais ou en conserve
une bonne pincée de poivre de Cayenne
250 à 300 g de nouilles
4 cuillerées à soupe d'huile
1 sachet de lait de coco
4 cuillerées à soupe de farine
poivre, sel
1 concombre coupé en dés
6 échalotes ou petits oignons coupés en rondelles
2 œufs durs émincés

Préparation:

Lavez et séchez le poulet, et coupez-le en morceaux.

Mélangez le sel et le safran; frottez-en le poulet.

Portez à ébullition 1 l d'eau additionnée des cubes de bouillon et faites-y cuire le poulet pendant 25 minutes. Retirez le poulet du bouillon et réservez celui-ci. Laissez refroidir le poulet et coupez-le en morceaux plus petits.

Parsemez-le d'oignon et d'ail, de gingembre et de poivre de Cayenne; laissez-le macérer pendant 1 heure dans un récipient couvert.

Faites cuire les pâtes, suivant les indications de l'emballage, dans 8 dl de bouillon.

Faites chauffer l'huile dans une cocotte. Faites-y dorer les morceaux de poulet et arrosez-les du reste du bouillon. Laissez mijoter jusqu'à ce que le poulet soit complètement cuit.

Préparez le lait de coco, délayez-y la farine et versez le tout dans la casserole contenant le poulet.

Laissez rapidement cuire la farine, de façon à obtenir une sauce relativement épaisse.

Entre-temps, ajoutez les pâtes au poulet en sauce.

Goûtez et rectifiez éventuellement l'assaisonnement en sel et en poivre.

Accompagnez les nouilles au poulet de raviers contenant des dés de concombre, des échalotes émincées et des œufs durs écrasés.

Les desserts

Salade de fruits à la noix de coco
Crème à la noix de coco
Tartelettes à la noix de coco
Crème à la noix de coco et aux dattes
Riz Bagdad
Crème de semoule à l'orientale
Crème au tapioca malaise
Crème philippine
Dessert au riz arabe
Riz à la sauce au yaourt
Riz tutti frutti aux amandes
Riz au lait à l'orientale
Crème de riz à la sauce aux fruits
Oranges farcies
Mandarines japonaises

Salade de fruits à la noix de coco

Préparation: 1 heure
Temps de repos: 1 à 2 heures

Ingrédients pour 4 personnes:
1 grosse ou 2 petites noix de coco
env. 600 g de fruits frais variés
jus de citron ou
cointreau
sucre

Principaux ustensiles de cuisine:
marteau, poinçon, scie, couteau tranchant et pointu, râpe

Préparation:
Percez une ouverture dans la noix de coco, videz-la de son lait et sciez-en le dessus.
A l'aide du couteau tranchant, enlevez quelques morceaux de chair. Enlevez la partie foncée et râpez le reste. Nettoyez et lavez les fruits frais (pommes, poires, bananes, fraises, cerises, raisins, pêches, prunes, abricots, agrumes). Laissez-les bien égoutter. Aspergez de jus de citron; saupoudrez de sucre et de la majeure partie de la noix de coco râpée. Mettez au frais pendant 1 à 2 heures. Remplissez la coque vide de la salade de fruits et saupoudrez du reste de la noix de coco.

Salade de fruits à la noix de coco
Une salade de fruits présentée de manière originale.

Crème à la noix de coco

Préparation: 50 minutes

Ingrédients pour 4 personnes:
4 demi-noix de coco, 50 g de farine, sel
1 œuf et 1 jaune d'œuf, ½ l de lait
2 sachets de sucre vanillé, 200 g de sucre

Principaux ustensiles de cuisine:
couteau tranchant et pointu, râpe, mixeur

Préparation:
Découpez la chair des noix de coco. Enlevez la partie foncée et râpez le reste.

Battez les deux jaunes d'œufs et le sucre en un mélange mousseux, ajoutez-y la farine, le sucre vanillé et le sel.
Faites chauffer le lait, ajoutez-en, en battant, une partie au mélange aux œufs. Incorporez cet appareil au reste du lait, laissez chauffer en tournant continuellement, jusqu'à ce que la préparation épaississe légèrement.
Battez le blanc d'œuf en neige ferme, incorporez-le à la crème chaude, réchauffez le tout afin de faire cuire le blanc d'œuf, ce qui empêchera la crème de retomber.
Goûtez la crème, laissez-la légèrement refroidir, incorporez-y la noix de coco râpée et servez dans les demi-noix de coco évidées.

Crème à la noix de coco
Cette crème, présentée dans les demi-noix de coco évidées, constitue un dessert inattendu.

Tartelettes à la noix de coco

Préparation: 40 minutes
Cuisson au four:
40 à 45 minutes

Ingrédients:
215 g de farine
100 g de cassonade blonde
½ sachet de poudre levante
sel
100 g de beurre mou
100 g de noix de coco râpée
50 g de sucre
⅛ l de crème, 1 œuf

Principaux ustensiles de cuisine:
rouleau à pâtisserie, moules à tartelette, mixeur, four (170 °C)

Préparation:
Pétrissez 100 g de farine, la cassonade, la poudre levante, le sel, 70 g de beurre et éventuellement un peu d'eau en une pâte souple.
Mélangez la noix de coco, le reste de la farine, le sucre et la crème; faites chauffer ce mélange en tournant. Beurrez les moules et préchauffez le four.
Battez le reste du beurre et l'œuf dans la crème et laissez refroidir.
Abaissez la pâte en une couche très mince. Foncez les moules de cette pâte. Répartissez la crème à la noix de coco dans ces moules. Abaissez les restes de pâte et recouvrez-en les moules. Disposez-les sur la plaque du four, glissez-la au milieu du four et laissez dorer.
Laissez refroidir 5 minutes avant de démouler.

Tartelettes à la noix de coco
Une pâtisserie à laquelle la noix de coco fraîche confère un parfum particulier.

Crème à la noix de coco et aux dattes

Préparation: 45 minutes
Temps de repos: 1 à 2 heures

Ingrédients pour 4 personnes:
300 g de noix de coco râpée
1 l de lait
250 g de dattes dénoyautées
5 cuillerées à soupe d'une liqueur au choix ou d'eau parfumée d'une essence au choix
3 jaunes d'œufs
30 g de farine, 40 à 60 g de sucre
sel

Principaux ustensiles de cuisine:
tamis, mixeur

Préparation:
Mélangez la noix de coco et le lait. Portez le tout à ébullition, puis laissez reposer au frais pendant 60 minutes au moins. Tamisez le lait et pressez autant de liquide que possible de la noix de coco. Jetez la pulpe.

Conservez quelques belles dattes pour la garniture et coupez les autres en morceaux. Arrosez-les de liqueur et laissez-les macérer.

Battez les jaunes d'œufs, la farine, le sucre et le sel en un mélange mousseux. Incorporez-y une partie du lait et réchauffez le tout en battant la préparation. Ajoutez-y le reste du lait, et poursuivrez la cuisson jusqu'à obtention d'une crème bien liée.

Introduisez-y les morceaux de dattes imprégnées de liqueur, goûtez et ajoutez éventuellement un peu de sucre.

Servez cette crème dans une coupe en verre, garnie des dattes réservées à cet effet.

Riz Bagdad

Préparation: 30 minutes

Ingrédients pour 4 personnes:
125 g de riz à grains longs, sel
une pincée de safran, 60 g de beurre
une pincée de clous de girofle en poudre et de cardamome, 50 g de sucre
50 g de noix variées mondées
une bonne pincée de zeste d'orange râpé
25 g de raisins de Corinthe
éventuellement ⅛ l de crème fraîche

Préparation:
Lavez le riz, faites-le cuire pendant 7 minutes avec le sel et le safran; égouttez-le. Faites fondre le beurre dans la casserole et ajoutez-y les clous de girofle et la cardamome.

Arrosez de 2 ½ dl d'eau bouillante, ajoutez-y le riz et tournez jusqu'à ce que l'ébullition reprenne. Après 5 minutes de cuisson, incorporez-y le sucre, les noix, le zeste d'orange et les raisins. Laissez cuire le riz à tout petit feu, puis laissez-le refroidir.

Entre-temps, battez la crème avec le sucre en chantilly. Présentez-la avec le riz.

Crème de semoule à l'orientale

Préparation: 40 minutes
Réfrigération: 1 à 2 heures

Ingrédients pour 4 à 8 personnes:
1 l de lait
le zeste de 1 citron
sel
30 g de beurre
100 g de semoule de riz
100 g de sucre
1 sachet de sucre vanillé
1 gros œuf
30 g de raisins secs trempés dans de l'eau chaude
50 g de cédrat confit finement émincé
50 g de fruits confits
½ boîte d'abricots au sirop
les zestes de ½ orange et de ½ citron
10 g de fécule de pomme de terre
marasquin ou essence d'un parfum au choix

Principaux ustensiles de cuisine:
mixeur, moule à pudding d'une contenance de 1 ½ l, presse-purée

Préparation:
Faites lentement cuire 9 dl de lait, additionné du zeste de citron et du sel. Ajoutez-y le beurre et mélangez-y la semoule et le sucre.
Enlevez le zeste lorsque le lait arrive à ébullition et versez-y, en tournant continuellement, la semoule et 75 g de sucre.
Laissez cuire le tout à petit feu.

Remplissez le moule à pudding d'eau froide et mettez-le au réfrigérateur.

Battez le sucre vanillé, l'œuf, et le reste du lait et incorporez ce mélange à la préparation en tournant.
Poursuivez la cuisson. L'œuf va lier la semoule, mais faites attention que celle-ci n'attache pas au fond de la casserole.
Essorez les raisins, introduisez-les dans la semoule ainsi que le cédrat.

Videz le moule à pudding et versez-y le contenu de la casserole. Saupoudrez de sucre pour empêcher la formation d'une peau et mettez le tout au réfrigérateur.
Gardez quelques abricots pour la garniture et passez le reste des fruits au presse-purée ou au mixeur. Laissez macérer les peaux dans 1 ½ dl

d'eau. Délayez la fécule de pomme de terre dans un peu d'eau. Retirez les peaux de l'eau, liez ce liquide avec la fécule de pomme de terre et ajoutez-le à la purée d'abricots.

Incorporez-y le sucre et la liqueur; laissez refroidir cette sauce.
Rincez un plat de service à l'eau froide et démoulez-y la semoule.
Garnissez le plat avec les abricots réservés, les fruits confits et une partie de la sauce aux abricots.

Servez le reste de la sauce en saucière.

Crème de semoule à l'orientale
Une crème de semoule à la sauce aux abricots.

Crème au tapioca malaise

Préparation: 45 minutes
Trempage: 1 heure
Cuisson au four:
30 minutes

Ingrédients pour 6 à 8 personnes:
120 g de tapioca
2 grosses reinettes, 30 g de beurre
1 petite boîte de morceaux d'ananas
5 cuillerées à soupe de cognac, de grand-marnier ou d'une essence parfumée
4 dl de lait
le zeste râpé de 1 citron
2 œufs, 120 g de sucre, sel
une pincée de cannelle
une pincée de noix de muscade
¼ l de crème fraîche

Principaux ustensiles de cuisine:
tamis, vide-pomme, plat à four d'une contenance de 1 à 1 ½ l, four (200 °C)

Préparation:
Mettez le tapioca dans un tamis et lavez-le. Versez-le dans une terrine. Recouvrez-le d'eau tiède. Laissez gonfler pendant 1 heure au moins.
Videz les pommes. Coupez-les en morceaux et faites-les cuire avec les ⅔ du beurre. Graissez le plat avec le reste du beurre.
Emincez les morceaux d'ananas et laissez-les égoutter dans un tamis. Mettez-les dans une petite terrine et arrosez-les du cognac.
Faites réchauffer le lait, introduisez dans le tapioca le jus de conservation de l'ananas et le zeste de citron.
Incorporez-y un peu de lait chaud, puis versez le tout dans la casserole. Tournez dans la préparation jusqu'à ce que l'ébullition reprenne et laissez cuire le tapioca à tout petit feu, jusqu'à ce qu'il soit transparent.
Cassez les œufs. Battez les jaunes avec 100 g de sucre en un mélange mousseux. Incorporez-y une partie du tapioca cuit, puis mettez le tout dans la casserole. N'arrêtez pas de tourner dans la préparation que les jaunes d'œufs vont lier. Ecrasez les pommes cuites à la fourchette et ajoutez-les au tapioca, ainsi que les morceaux d'ananas.
Glissez la grille un peu au-dessus du milieu du four et préchauffez celui-ci. Battez les blancs d'œufs en neige très ferme avec la cannelle, la noix de muscade et le sel. Incorporez-les délicatement au tapioca. Goûtez le mélange puis versez-le dans le plat à four.
Mettez celui-ci dans le four et laissez le contenu bien chauffer et dorer le contenu.

Battez la crème en chantilly et mettez-la au réfrigérateur. Servez-la bien glacée avec la crème au tapioca chaude.

Crème au tapioca malaise
Un pudding chaud, à base de tapioca, qui se déguste avec de la crème chantilly glacée.

Crème philippine

Préparation: 20 minutes
Réfrigération: 1 à 2 heures

Ingrédients pour 4 à 6 personnes:
2 ½ dl de lait
¼ l de crème ou
de lait concentré
1 œuf
40 g de fécule de maïs
sel
100 g de sucre
1 sachet de sucre vanillé
100 g de noix de coco râpée
le zeste râpé d'une orange
cacao

Principaux ustensiles de cuisine:
mixeur, moule à pudding d'une contenance de 1 à 1 ½ l, tamis fin

Préparation:
Remplissez le moule à pudding d'eau froide et mettez-le au réfrigérateur.
Portez le lait et la crème à ébullition.
Séparez le blanc du jaune d'œuf. Battez le jaune, la fécule de maïs, le sel, le sucre, le sucre vanillé et un peu de lait en un mélange mousseux. Ajoutez-y le reste du lait, puis, versez le tout dans la casserole et chauffez en tournant afin que la fécule lie la préparation. Battez le tout, incorporez-y la noix de coco et laissez réchauffer.
Battez le blanc d'œuf en neige ferme avec le zeste d'orange. Incorporez-le à la crème.
Videz le moule, versez-y le pudding et mettez le tout au réfrigérateur. Lorsque le pudding est bien froid, démoulez-le sur un plat de service préalablement mouillé.
Garnissez de cacao tamisé et accompagnez de crème chantilly sucrée.

Dessert au riz arabe
Un délicieux mélange de riz au lait et de confiture d'églantier.

Dessert au riz arabe

Préparation:
1 heure 15

Ingrédients pour 4 personnes:
200 g de riz dessert, 1 l de lait, sel
25 g de beurre
60 à 80 g de sucre, confiture d'églantier

Principal ustensile de cuisine:
tamis

Préparation:
Mettez le riz dans un tamis et lavez-le soigneu-sement à l'eau courante. Portez ½ l d'eau à ébullition dans une casserole à fond épais. Mettez-y le riz, tournez dans la préparation jusqu'à ce que l'ébullition reprenne et laissez cuire à feu doux pendant 18 minutes.

Portez le lait à ébullition avec le sel et le beurre, versez le lait sur le riz et mélangez précautionneusement.

Laissez cuire jusqu'à ce que tout le liquide soit absorbé et que le riz ait une consistance crémeuse.

Incorporez-y à volonté du sucre et de la confiture; garnissez le riz de confiture.

Ce dessert se déguste tiède ou très froid.

Riz à la sauce au yaourt

Préparation:
1 heure 10

Ingrédients pour 4 personnes:
200 g de riz

sel
3 ½ dl de lait
2 pots de yaourt
4 à 6 cuillerées à soupe de miel
50 g d'amandes effilées grillées
cannelle

Préparation:

Portez à ébullition 2 dl d'eau additionnée de sel, versez-y le riz et tournez dans la préparation jusqu'à ce que l'ébullition reprenne. Couvrez la casserole et laissez cuire 6 minutes à feu doux.

Egouttez et arrosez du lait. Tournez jusqu'à ce que le lait se mette à bouillir et laissez se pou-suivre la cuisson encore pendant 20 minutes.

Battez le yaourt avec le miel et un peu d'eau en une sauce consistante.

Goûtez si cette sauce est suffisamment sucrée.

Répartissez le riz cuit dans 4 coupes, garnissez avec les amandes effilées et saupoudrez de cannelle.

Ce dessert se consomme tiède.

Riz tutti frutti aux amandes

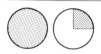

Préparation:
1 heure 15

Ingrédients pour 4 personnes:
200 g de riz
350 g de sucre
30 g d'amandes mondées
100 g de dattes dénoyautées
50 g de pruneaux dénoyautés
150 g d'abricots séchés
40 g de beurre
sel
jus de citron

Préparation:

Lavez le riz à l'eau courante.

Portez 4 dl d'eau salée à ébullition.

Ajoutez-y le riz et tournez dans la préparation jusqu'à ce que l'ébullition reprenne.

Couvrez la casserole et laissez cuire le riz à tout petit feu.

Portez 6 dl d'eau à ébullition. Délayez-y le sucre, tournez de temps en temps dans la casserole et laissez réduire.

Faites dorer les amandes dans une poêle bien sèche. Secouez la poêle de temps à autre.

Emincez les amandes et coupez les dattes, les pruneaux et les abricots en fines lanières. Incorporez-les dans le sirop de sucre.

Lorsque le sirop est suffisamment épais, incorporez-y le riz cuit, par petites quantités, puis le beurre, en maintenant le sirop au point d'ébullition.

Tournez délicatement dans la préparation et ajoutez-y les amandes et le jus de citron.

Servez le riz garni d'une partie des fruits et des amandes.

Une variante consiste à préparer un sirop plus épais. Beurrez un moule à pudding et remplissez-le avec le riz cuit en appuyant bien. Démoulez le pudding sur un plat préalablement mouillé et accompagnez de fruits, arrosés de jus de citron.

Riz tutti frutti aux amandes
Un dessert oriental qui peut paraître très sucré, selon les normes occidentales! Préparé avec moins de sucre, il trouvera cependant beaucoup d'amateurs.

Riz au lait à l'orientale

Préparation:
1 heure 15

Ingrédients pour 4 personnes:
200 g de riz dessert
1 ½ l de lait
50 g de sucre
1 sachet de sucre vanillé
50 g de beurre
sel
30 g de cédrat confit finement émincé
50 g de fruits confits émincés
50 g de cacahuètes décortiquées et hachées
une bonne pincée de cannelle
1 dl de sirop de cerises

Principaux ustensiles de cuisine:
casserole à fond épais, plat de service

Préparation:
Lavez le riz très soigneusement.
Portez le lait à ébullition, additionné de sel, dans une casserole à fond épais.
Ajoutez le riz et tournez dans la préparation jusqu'à ce que l'ébullition reprenne.

Couvrez la casserole et laissez cuire le riz à tout petit feu.
Après 30 minutes de cuisson, introduisez-y le sucre et le sucre vanillé, le beurre, les fruits confits et le cédrat, ainsi que les cacahuètes.
Tournez régulièrement dans la préparation pour éviter qu'elle n'attache au fond de la casserole. Lorsque le riz est bien cuit, ajoutez-y la cannelle et goûtez.
Versez-le dans un plat de service, laissez refroidir, puis, arrosez de sirop.
Présentez ce riz, froid, en dessert.
Une variante consiste à introduire le riz dans un moule. Démoulez-le sur un plat de service et accompagnez, par exemple, de compote de pommes froide saupoudrée de cannelle.

Riz au lait à l'orientale
En Orient, cette recette est servie en hors-d'œuvre. Chez nous, il s'agirait plutôt d'un dessert!

Crème de riz à la sauce aux fruits

Préparation:
1 heure 15
Réfrigération:
1 à 2 heures

Ingrédients pour 4 personnes:
6 dl de lait
100 g de noix de coco râpée
100 g de beurre
200 g de riz
une bonne pincée de safran ou de curcuma
4 cuillerées à soupe d'eau de rose
2 clous de girofle
1 bâton de cannelle, sel
100 g de raisins secs trempés dans de l'eau chaude
100 g d'amandes émincées grillées
75 g de sucre
beurre pour le moule
fruits et zestes confits râpés

Pour la sauce:
25 g de fécule de maïs
3 dl de jus d'oranges
2 dl de sirop de fruits rouge
cassonade blonde
jus de citron

Principaux ustensiles de cuisine:
tamis, poêle, boule à thé, moule à pudding d'une contenance de 1 à 1 ½ l, plat rond

Préparation:
Mélangez le lait et la noix de coco, portez rapidement à ébullition, puis tamisez le mélange. Pressez autant de liquide que possible de la noix de coco.

Faites fondre le beurre et faites-y revenir le riz en tournant régulièrement dans la casserole. Arrosez avec le lait et portez à ébullition en tournant. Laissez cuire 10 minutes à petit feu. Incorporez-y le safran et l'eau de rose, mettez les clous de girofle et la cannelle dans la boule à thé, suspendez-la dans la préparation, salez et laissez la cuisson s'achever.
Retirez la boule de la casserole.

Essorez bien les raisins et introduisez-les dans le riz, ainsi que les amandes et le sucre. Beurrez le moule et remplissez-le de riz. Laissez refroidir, puis démoulez sur un plat de service mouillé.

Décorez de fruits et de zestes confits.
Pour la sauce, délayez la fécule de maïs dans un peu d'eau. Faites chauffer le jus d'oranges et le sirop; liez à la fécule afin d'obtenir une belle sauce épaisse et lisse.
Allongez-la avec un peu d'eau, et ajoutez un peu de sucre ou un peu de jus de citron, selon le goût. Laissez refroidir et servez avec le riz.

Crème de riz à la sauce aux fruits
Cette crème est encore meilleure le lendemain de sa préparation. Vous pouvez donc franchement la préparer un jour à l'avance.

Oranges farcies

Préparation: 35 minutes
Réfrigération: 1 heure

Ingrédients pour 8 personnes:
8 oranges juteuses
2 citrons
8 g de gélatine rouge
8 g de gélatine blanche
150 g de sucre

Principaux ustensiles de cuisine:
presse-fruits, tamis

Préparation:
Coupez les oranges et les citrons en deux et pressez-les. Passez le jus au tamis.
Faites tremper la gélatine dans de l'eau. Faites chauffer le jus de fruits. Essorez soigneusement la gélatine et faites-la fondre dans le jus, avec le sucre. Laissez prendre cette préparation et remplissez-en les écorces des oranges.
Lorsque la gelée a bien pris, coupez les oranges farcies en quartiers à l'aide d'un couteau bien tranchant dont vous aurez chauffé la lame.
Disposez ces quartiers sur un plat de service ou dans un saladier en verre.

Mandarines japonaises

Préparation: 30 minutes
Réfrigération: 1 heure

Ingrédients pour 8 personnes:
8 grosses mandarines
6 g de gélatine, dont 1 feuille rouge
80 g de sucre ou plus
1 dl de jus de citron

Principal ustensile de cuisine:
tamis

Préparation:
Coupez un chapeau des mandarines, avec un couteau tranchant. Faites tremper la gélatine dans beaucoup d'eau. Evidez les fruits, réduisez la pulpe en purée et passez-la au tamis.

Mettez ce jus de mandarines dans un poêlon, faites-le chauffer et délayez-y le sucre. Essorez soigneusement la gélatine et incorporez-la dans le jus de fruits. Ajoutez-y le jus de citron, goûtez et rectifiez éventuellement.

Laissez prendre la gelée en tournant de temps à autre dans la préparation.
Remplissez-en les mandarines évidées. Remettez les chapeaux sur les fruits, décorez de quelques feuilles et laissez prendre complètement.

Mandarines japonaises
Un dessert qui fera merveille lors d'un goûter d'enfants, par exemple.

Les pâtisseries

Beignets à l'égyptienne
Beignets au cacao
Yoyos
Biscuits à la noix de coco
Biscuits malais
Gâteau japonais au miel
Gâteau aux dattes
Gâteau de maïs à l'ananas
Tarte sucrée aux épinards
Tarte aux nouilles et aux pommes
Tarte aux spaghettis à l'indienne

Beignets à l'égyptienne

La saveur piquante de ces beignets peut éventuellement encore être accentuée en faisant revenir les oignons.
Quelques phases de la préparation.
De gauche à droite: Incorporez le liquide à la farine. Faites cuire et dorer les beignets de toutes parts.

Beignets à l'égyptienne

Préparation: 30 minutes

Ingrédients pour 4 à 6 personnes:
250 g de farine complète
1 sachet de poudre levante
½ cuilerée à café de marjolaine
½ oignon haché ou arôme d'oignon
1 dl de lait, poivre, sel

Principaux ustensiles de cuisine:
mixeur, friteuse (180 à 190 °C)

Préparation:
Mélangez la farine, la poudre levante, le sel et la marjolaine.
Faites chauffer la friture.
Incorporez l'oignon, le lait et de l'eau à la farine, de façon à obtenir une pâte légèrement consistante. Poivrez et salez à volonté.

Laissez tomber de petites quantités de pâte, à l'aide d'une cuillère, dans la friture chaude.
Laissez cuire et dorer les beignets de toutes parts.
Servez bien chauds.

Beignets au cacao

Préparation: 30 minutes

Ingrédients pour 4 à 6 personnes:
100 g de farine
sel
25 g de cacao
50 g de cassonade blonde
1 jaune d'œuf
6 cuillerées à soupe de grand-marnier ou de curaçao
sucre en poudre

Principaux ustensiles de cuisine:
tamis, friteuse (170 à 180 °C), écumoire, papier absorbant

Préparation:
Tamisez la farine dans une terrine avec le sel, le cacao et le sucre.
Ajoutez-y le jaune d'œuf et la liqueur. La liqueur peut éventuellement être remplacée par de l'eau parfumée à l'essence de rhum ou de marasquin.
Mélangez tous ces ingrédients en une pâte homogène, ajoutez-y éventuellement un peu d'eau.
Faites chauffer la friture.
Travaillez bien la pâte et formez-en de petites portions rectangulaires.
Faites-les cuire lentement dans la friture. Lorsque les beignets sont bien dorés, retirez-les de la graisse avec une écumoire. Laissez-les égoutter sur des serviettes en papier ou du papier absorbant.
Saupoudrez de sucre en poudre et servez immédiatement.

Beignets au cacao
Ces beignets juifs ont un goût tout à fait délicieux.

Yoyos
*Une pâtisserie arabe que l'on peut ser-
vir chaude ou froide.*

Yoyos

Préparation: 45 minutes
Temps de repos: 1 heure 30

Ingrédients pour 6 à 8 personnes:
300 g de farine à température ambiante
80 g de sucre impalpable
10 g de levure
environ 1 dl de lait tiède, sel
2 œufs à température ambiante
2 cuillerées à soupe d'huile d'olive
450 g de sucre
1 sachet de sucre vanillé
*4 cuillerées à soupe d'eau de fleurs d'oranger,
d'eau de rose, de liqueur ou d'une essence parfumée, 2 cuillerées à soupe de jus de citron*
50 g d'amandes mondées
50 g de cerneaux de noix
50 g de noisettes décortiquées

Principaux ustensiles de cuisine:
tamis, mixeur-pétrisseur, rouleau à pâtisserie,
emporte-pièce de 8 à 10 cm de diamètre, grand
dé à coudre, friteuse (160 à 170 °C), moulin à
amandes, papier absorbant ou serviettes

Préparation:
Tamisez la farine, le sel et le sucre en poudre
dans une terrine. Délayez la levure dans quelques cuillerées à soupe de lait. Creusez un puits
au milieu de la farine et versez-y la levure.
Battez les œufs avec le reste du lait et l'huile.
Mélangez bien tous ces ingrédients.
Si la farine absorbe beaucoup de liquide, ajoutez un peu de lait tiède. Travaillez jusqu'à
obtention d'une pâte souple qui ne colle plus
aux mains. Déposez la boule de pâte dans une
terrine farinée et mettez-la dans un endroit
tiède. Laissez reposer pendant environ 1 heure

jusqu'à ce que la pâte ait doublé de volume. Travaillez de préférence dans une cuisine bien chauffée et évitez les courants d'air.

Saupoudrez la table de travail d'un peu de farine. Pétrissez la pâte à la main et abaissez-la à environ 1 ½ cm d'épaisseur.

Découpez-en des ronds à l'emporte-pièce mis au préalable dans de la farine.

Rassemblez les chutes de pâte. Retravaillez cette pâte, abaissez-la et découpez-en de nouveaux ronds. Laissez lever ces ronds, dans un endroit tiède, pendant 20 à 30 minutes. Faites chauffer la friture.

Découpez un petit trou au milieu de chaque pièce de pâte, à l'aide d'un dé.

Faites cuire lentement les ronds de pâte dans la friture. Ils doivent être bien dorés de part et d'autre, puis faites-les égoutter sur du papier absorbant ou des serviettes en papier.

Pendant que la pâte lève, portez 2 ½ dl d'eau à ébullition. Délayez-y 400 g de sucre. Laissez légèrement réduire puis parfumez à l'eau de fleurs d'oranger, ou à la liqueur, et au jus de citron. Poursuivez la cuisson jusqu'à obtention d'un sirop.

Concassez toutes les noix et ajoutez-y 50 g de sucre et le sucre vanillé.

Tournez les biscuits dans le sirop, puis dans les noix concassées.

Les yoyos se consomment tièdes ou froids.

Yoyos

Quelques phases de la préparation.
De gauche à droite et de haut en bas:
Découpez des ronds dans la pâte abaissée. Retirez le centre de ces ronds de pâte. Introduisez-les dans la friture.
Faites-les cuire et dorer de part et d'autre. Plongez les yoyos cuits dans le sirop. Saupoudrez-les de noix et de sucre impalpable.

Biscuits à la noix de coco
Des biscuits à base de noix de coco et de miel.

Biscuits à la noix de coco

Préparation: 20 minutes
Cuisson au four: 20 à 25 minutes

Ingrédients pour environ 36 biscuits:
150 g de noix de coco râpée
175 g de farine
sel
1 cuillerée à café de poudre à lever
⅓ de pot de miel
le jus de 1 orange
100 g de beurre

75 g de cassonade
1 œuf
1 flacon d'essence d'amandes
fécule de pomme de terre

Principaux ustensiles de cuisine:
tamis, mixeur-pétrisseur, four (190 °C)

Préparation:
Mettez la noix de coco râpée dans une terrine et tamisez la farine, le sel et la poudre à lever sur la noix de coco.

Faites lentement chauffer le miel dans un poêlon. Délayez la fécule de pomme de terre dans le jus d'orange et liez le miel avec ce mélange.

Battez le beurre en un mélange mousseux, avec le sucre, ajoutez-y l'œuf, l'essence et le miel; incorporez ces ingrédients à la farine et à la noix de coco.
Pétrissez le tout en une pâte souple. Ajoutez-y

un peu de farine, si elle est trop liquide, ou un peu d'eau, si elle est trop consistante. Préchauffez le four, beurrez la lèchefrite. Déposez de petites portions de pâte sur celle-ci en laissant couler la pâte d'une cuillère. Séparez bien les portions.

Glissez la lèchefrite au milieu du four et laissez-y dorer les biscuits.

Biscuits malais

Préparation: 25 minutes
Cuisson au four: 15 à 20 minutes

Ingrédients pour environ 500 g de biscuits:
200 g de farine
½ cuillerée à café de poudre levante
100 g de cassonade brune
150 g de beurre
une pincée de clous de girofle en poudre
80 g de noix de coco râpée, lait
beurre pour la lèchefrite

Principaux ustensiles de cuisine:
tamis, pinceau à badigeonner, couteau tranchant, four (190 °C)

Préparation:
Tamisez la farine et la poudre à lever dans une terrine. Tamisez le sucre sur la farine.
Coupez le beurre en petits morceaux, introduisez-les dans la terrine, ajoutez les clous de girofle et les trois quarts de la noix de coco râpée.
Mélangez bien tous ces ingrédients et travaillez-les en une pâte souple. Ajoutez quelques cuillerées à soupe de lait à la pâte si celle-ci vous semble trop friable.
La pâte doit être souple mais ferme. Formez-en des carrés ou un rouleau.
Mettez la pâte au réfrigérateur. Beurrez la lèchefrite et préchauffez le four.
Déposez les morceaux de pâte sur la lèchefrite. Si vous avez formé un rouleau, placez-le sur une planche à découper et coupez-le en rondelles de ½ cm d'épaisseur que vous poserez également sur la lèchefrite.
Saupoudrez les biscuits d'un peu de noix de coco râpée et glissez la lèchefrite un peu au-dessus du milieu du four.

Biscuits malais
De délicieux biscuits à la noix de coco, dont la préparation ne pose aucun problème.

Laissez cuire et dorer les biscuits. Détachez-les de la lèchefrite et laissez-les refroidir.
Vous pouvez également remplacer une partie de la noix de coco par 40 g de raisins secs trempés dans de l'eau bouillante. Dans ce cas, remplacez les clous de girofle par un peu de cannelle ou de cardamome. Formez un rouleau de pâte que vous couperez en tranches d'égale épaisseur.

Gâteau japonais au miel
Ce gâteau peut être accompagné d'une sauce faite de 3 cuillerées à soupe de miel dissoutes dans 6 cuillerées à soupe de saké.

Gâteau japonais au miel

Préparation: 20 minutes
Cuisson au four: 40 minutes

Ingrédients:
150 g de farine
sel
1 cuillerée à café de poudre levante
2 œufs, 100 g de sucre
5 cuillerées à soupe de miel
2 cuillerées à soupe d'huile
sucre impalpable

Principaux ustensiles de cuisine:
tamis, mixeur, moule à tarte rond de 20 cm de diamètre, four (200 °C)

Préparation:
Tamisez la farine, le sel et la poudre à lever.

Battez les œufs et le sucre en un mélange mousseux et ajoutez-y le miel.

Enduisez le moule d'huile, ajoutez le reste de l'huile aux œufs.

Glissez la grille au milieu du four et préchauffez celui-ci.

Battez à nouveau les œufs et incorporez-y peu à peu la farine. Versez la pâte dans le moule. Mettez celui-ci au four.

Laissez cuire et dorer le gâteau. Démoulez-le, laissez-le refroidir et saupoudrez-le de sucre impalpable.

Gâteau aux dattes

Préparation: 15 minutes
Cuisson au four: 40 minutes

Ingrédients:
300 g de dattes
150 g d'amandes mondées
3 œufs
200 g de sucre
1 cuillerée à soupe d'huile
1 sachet de sucre vanillé

Principaux ustensiles de cuisine:
moulin à viande, moulin à amandes, moule à tarte rond d'un diamètre de 18 à 20 cm, four (200 °C)

Préparation:
Coupez les dattes dans le sens de la longueur et retirez-en les noyaux. Glissez la grille au milieu du four et préchauffez celui-ci.
Passez les dattes et les amandes au moulin. Séparez les jaunes des blancs des œufs. Ajoutez les blancs non battus et le sucre aux dattes et aux amandes.
Enduisez le moule d'huile.
Mélangez bien tous les ingrédients, versez la pâte dans le moule et placez celui-ci dans le four.
Laissez cuire le gâteau pendant 30 à 40 minutes. Démoulez-le et laissez-le refroidir.
Saupoudrez-le de sucre. Accompagnez éventuellement de chantilly légèrement sucrée.

Gâteau aux dattes
Un gâteau exotique vite préparé et vite cuit.

Gâteau de maïs à l'ananas

Préparation: 25 minutes
Cuisson au four:
40 à 50 minutes

Préparation:

Séparez les jaunes des blancs des œufs. Beurrez le moule.

Portez le lait à ébullition.

Mélangez la farine de maïs, le sucre, le sucre vanillé et le sel; ajoutez le tout au lait lorsqu'il est sur le point de bouillir.

Travaillez jusqu'à obtention d'une pâte lisse.

Incorporez-y les jaunes d'œufs et le beurre par petites quantités.

Glissez la grille au milieu du four. Préchauffez celui-ci.

Battez les blancs d'œufs en neige très ferme.

Incorporez délicatement le mélange à la pâte et versez le tout dans le moule.

Mettez-le au four et laissez cuire et dorer.

Laissez refroidir le gâteau dans le moule, démoulez et décorez de tranches d'ananas et de fruits confits.

Gâteau de maïs à l'ananas

Ce gâteau égyptien ont garni de tranches d'ananas et de cerises confites. Vous pouvez très bien le décorer de crème fouettée légèrement sucrée. Quelques phases de la préparation. De haut en bas: Versez la farine de maïs, le sucre et le sel dans le lait presque arrivé à ébullition. Ajoutez-y les jaunes d'œufs.
Décorez le gâteau de tranches d'ananas et de cerises confites.

Ingrédients:

3 œufs
beurre pour le moule
1 l de lait
240 g de farine de maïs, sel
125 g de sucre
1 sachet de sucre vanillé
100 g de beurre
tranches d'ananas frais ou 1 petite boîte de tranches d'ananas
fruits confits

Principaux ustensiles de cuisine:

mixeur, moule à tarte de 10 à 12 cm de diamètre, four (220 °C)

Tarte sucrée aux épinards

Préparation: 40 minutes
Cuisson au four:
40 à 50 minutes

Ingrédients:
1 paquet de pâte feuilletée surgelée
beurre pour le moule, 1 kg d'épinards
35 g de beurre, 30 g de farine, 2 ½ dl de lait
125 g de sucre en poudre, 3 jaunes
d'œufs, le zeste râpé de 1 citron, sel
30 g d'amandes effilées et grillées
100 g de cédrat et de fruits confits émincés

Principaux ustensiles de cuisine:
passoire, presse-purée, moule à tarte rond de
20 à 22 cm de diamètre, four (220 °C)

Préparation:
Laissez dégeler la pâte et beurrez le moule.
Lavez les épinards et faites-les cuire sans les
égoutter. Lorsqu'ils sont cuits, laissez-les
égoutter et rincez-les à l'eau froide.

Laissez à nouveau bien égoutter et hachez les
légumes ou passez-les au presse-purée.
Faites fondre le beurre, incorporez-y la farine,
puis, par petites quantités à la fois, le lait.
Tournez dans la préparation jusqu'à obtention
d'une sauce lisse.
Ajoutez-y le sucre en poudre et le sucre vanillé,
les jaunes d'œufs, le jus de citron et le sel.
Laissez cuire quelques instants, puis
incorporez-y les épinards.
Foncez le moule de pâte feuilletée. S'il y a des
raccords, soudez-les avec un peu d'eau. Couvrez avec la moitié de la préparation aux épinards. Répartissez les amandes, le cédrat et les
fruits confits sur les légumes.
Recouvrez avec le reste des épinards. Garnissez
avec des bandes de pâte feuilletée.
Glissez le moule dans le four. Laissez cuire et
dorer.
Laissez légèrement refroidir la tarte, puis
démoulez-la et garnissez-la de quelques cerises
confites.

Tarte sucrée aux épinards
Les épinards peuvent être remplacés
par des courgettes, cuites et réduites
en purée, ou du potiron.

Tarte aux nouilles et aux pommes

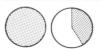

Préparation: 40 minutes
Cuisson au four: 35 à 45 minutes

Ingrédients:
6 dl de lait
250 g de nouilles, 50 g de beurre
beurre pour le moule
3 œufs, sel
2 pommes à couteau surettes
100 g de sucre
50 g de cerneaux de noix hachés
2 cuillerées à soupe de graines de pavot

Principaux ustensiles de cuisine:
passoire ou tamis, pinceau à badigeonner, plat à four ou moule à tarte de 22 cm de diamètre, vide-pomme, four (210 °C)

Préparation:
Portez le lait, 2 dl d'eau et un peu de sel à ébullition.
Ajoutez-y les nouilles et laissez-les cuire lentement «al dente».
Egouttez les nouilles dans une passoire ou un tamis.
Rincez-les à l'eau froide et laissez-les bien égoutter.
Faites fondre le beurre et beurrez le plat ou le moule.
Séparez les jaunes d'œufs des blancs.
Battez le beurre fondu avec les jaunes d'œufs. Battez les blancs d'œufs en neige très ferme.
Incorporez les nouilles au mélange de jaunes d'œufs et de beurre, introduisez-y quelques cuillerées de blanc d'œuf, puis ajoutez les pâtes au reste du blanc d'œuf.
Glissez la grille juste au-dessous du milieu du four et préchauffez celui-ci.
Lavez et séchez les pommes, videz-les. Epluchez-les et coupez-les en fines tranches.
Couvrez le fond du plat avec un tiers des pâtes. Répartissez la moitié des pommes sur les nouilles. Saupoudrez avec la moitié des noix et des graines de pavot, saupoudrez de sucre.
Couvrez avec un nouveau tiers de pâte et garnissez à nouveau avec les pommes, les noix et les graines de pavot qui restent.
Terminez par le reste des pâtes.
Egalisez le côté supérieur avec un couteau mouillé et décorez d'une claie de nouilles.
Glissez le tout au four.
Laissez bien cuire et dorer.
Vérifiez le degré de cuisson à l'aide d'une pique à cocktail. Enfoncez-la dans la tarte; si elle ressort sèche, la tarte est cuite.
Laissez-la refroidir dans le moule.
Démoulez la tarte ou servez-la à table dans son moule.

Tarte aux nouilles et aux pommes
Une recette juive dont il existe diffé-
rentes variantes.
Vous pouvez, par exemple, remplacer
les pommes par des poires, les noix
par des amandes et les graines de
pavot par des raisins de Corinthe et
des raisins secs.

Tarte aux spaghettis à l'indienne

Préparation: 40 minutes
Cuisson au four:
20 à 25 minutes

Ingrédients:
beurre pour le moule, 65 g de beurre
50 g d'amandes effilées grillées
30 g de raisins secs, trempés dans de l'eau
tiède et bien essorés
250 g de spaghettis brisés à la main
½ l de lait chaud
200 g de sucre, 1 sachet de sucre vanillé
3 cuillerées à soupe de cognac

Principaux ustensiles de cuisine:
moule à ressort de 22 à 24 cm de diamètre, four
(240 °C)

Préparation:
Faites fondre 30 g de beurre, faites-y revenir les amandes et les raisins et retirez-les de la casserole.
Faites-y revenir les spaghettis, ajoutez le lait et laissez-y cuire les pâtes. Incorporez-y le sucre, le sucre vanillé, le cognac, les amandes et les raisins et laissez réchauffer le tout en tournant dans la préparation.

Glissez la grille au milieu du four, préchauffez celui-ci. Beurrez le moule.
Versez les spaghettis dans le moule, faites fondre le reste du beurre et arrosez-en les pâtes. Laissez la tarte au four jusqu'à ce que le dessus soit bien croustillant. Retirez-la de son moule de cuisson et servez-la bien chaude.

Tarte aux spaghettis à l'indienne
Une tarte fort appréciée des enfants. Vous pouvez, si vous le désirez, la saupoudrer de cannelle avant de la servir.

Les friandises

Dattes fourrées
Bonbons aux noix et aux amandes
Bonbons aux amandes
Confiserie de Calcutta
Nids d'oiseaux
Truffes au potiron

Dattes fourrées
En Orient, ces dattes farcies d'une pâte aux amandes, sont considérées comme une gourmandise.

Dattes fourrées

Préparation: 45 minutes

Ingrédients pour environ 500 g:
500 g de grosses dattes
125 g d'amandes mondées
125 g de sucre cristallisé, 1 petit œuf
le zeste râpé de ½ citron
sucre vanillé

Principal ustensile de cuisine:
moulin à amandes

Préparation:
Incisez les dattes dans le sens de la longueur et retirez-en les noyaux. Lavez les amandes. Séchez-les et moulez-les finement.

Mélangez le sucre et les amandes, incorporez-y l'œuf et le zeste de citron. Passez à nouveau ce mélange au moulin. Il ne doit pas être trop mou.

Si la pâte d'amandes est un peu trop friable, ajoutez-y un peu d'eau ou de jus de citron.

Répartissez cette préparation en autant de portions qu'il y a de dattes.

Formez de ces portions des cylindres un peu plus courts que les dattes et roulez-les dans le sucre vanillé.

Farcissez chaque datte d'un rouleau de pâte d'amandes et faites-le bien adhérer dans les deux demi-dattes.

Bonbons aux noix et aux amandes

Préparation: 30 minutes

Ingrédients pour environ 400 g:
100 g d'amandes mondées
100 g de sucre cristallisé
¼ à ¾ d'œuf battu
colorant végétal rouge ou vert
200 g de cerneaux de noix

Principal ustensile de cuisine:
moulin à amandes

Préparation:
Préparez la pâte d'amandes comme décrit ci-dessus. Délayez un peu de colorant dans de l'eau ou utilisez du colorant liquide et incorporez-le à la pâte d'amandes. Formez-en des petites boules de la taille d'un bille. Faites-y adhérer de part et d'autre un demi-cerneau de noix.

184

Bonbons aux amandes

Préparation: 1 heure
Réfrigération: 2 heures

Ingrédients pour environ 750 g:
200 g d'amandes mondées
200 g de farine
200 g de sucre impalpable
environ 1 cuillerée à café de cannelle
200 g de beurre

Principaux ustensiles de cuisine:
four (280 °C), tamis, moulin à amandes, éventuellement emporte-pièce

Préparation:
Préchauffez le four.
Lavez les amandes et séchez-les soigneusement avec un linge ou du papier absorbant.
Déposez les amandes sur la lèchefrite et glissez celle-ci au milieu du four. Laissez dorer les amandes au four en les retournant régulièrement, mais ne les laissez pas brunir.
Laissez-les refroidir.
Prenez une poêle bien sèche et tamisez-y la farine, laissez-la roussir à feu moyen en la remuant continuellement.

Tamisez le sucre et la cannelle dans la farine.
Moulez les amandes.
Laissez ramollir le beurre sans le laisser fondre. Ajoutez les amandes et le beurre à la farine et au sucre.
Si le mélange est trop consistant, incorporez-y un peu d'eau.
Abaissez cette préparation sur une planche ou un plat jusqu'à ce qu'elle ait 2 cm d'épaisseur.
Lissez-en la partie supérieure à l'aide d'un couteau mouillé et laissez durcir au réfrigérateur.
Découpez-la au couteau ou à l'emporte-pièce.

Bonbons aux amandes
Ces friandises ont le goût délicieux des amandes grillées.

Confiserie de Calcutta

Préparation:
1 heure à 1 heure 30

Ingrédients:

400 g de farine
sel
300 g de sucre cristallisé
½ cuillerée à café de safran
½ cuillerée à café de cardamome en poudre
1 pamplemousse ou 1 grosse orange épluché

Principaux ustensiles de cuisine:
mixeur, friteuse (170 °C), poche avec douille lisse, écumoire, papier absorbant, longues piques à cocktail

Préparation:
Tamisez la farine et le sel dans une terrine. Ajoutez-y et mélangez à la cuillère de bois ou au mixeur suffisamment d'eau pour obtenir une pâte lisse et assez consistante.

Faites chauffer la friture - aucune vapeur ne peut s'en échapper.
Remplissez la poche de pâte.
Formez différentes figures de pâte, par exemple, des cercles ou des huits, dans la graisse de friture chaude. Retirez-les de la graisse dès qu'elles sont cuites et dorées, en vous servant d'une écumoire.

Laissez-les égoutter sur du papier absorbant. Faites cuire ainsi toute la pâte, et laissez refroidir les motifs de pâte croustillante l'un à côté de l'autre sur quelques grands plats recouverts de papier absorbant.

Portez 3 dl d'eau à ébullition dans un poêlon et délayez-y le sucre. Laissez cuire doucement ce mélange jusqu'à ce que vous obteniez un sirop.
Délayez le safran et la cardamome dans très peu d'eau et incorporez ces épices au sirop.
Poursuivez la cuisson jusqu'à ce que le sirop ait la consistance du fondant.
Pour arriver à cette consistance, tournez avec une fourchette dans ce sirop. Laissez régulièrement tomber quelques gouttes de sirop au bout de la fourchette. La préparation a la bonne consistance lorsque la dernière goutte qui retombe dans le sirop forme un fil bien visible. Dès que vous voyez ce fil de sucre, arrêtez la cuisson du sirop. Si vous arrêtiez cette cuisson trop tard et que le sucre se cristallisait, ajoutez-y quelques cuillerées à soupe d'eau, tournez dans le poêlon et recommencez l'opération.
Tournez les motifs de pâte dans ce sirop blond en vous aidant de deux fourchettes.
Veillez à ce qu'ils soient entièrement couverts de sirop, puis laissez-en écouler l'excédent.
Enfoncez les piques dans la pamplemousse et accrochez-y les motifs en pâte.

Confiserie de Calcutta
Une délicieuse friandise indienne.

Nids d'oiseaux

Préparation: 60 minutes

Ingrédients pour 6 à 12 personnes:

300 g de farine, 3 jaunes d'œufs
½ cuillerée à café de cannelle
1 cuillerée à soupe de sucre impalpable, sel
⅛ à ¼ l de crème aigre

Principaux ustensiles de cuisine:
tamis, mixeur, rouleau à pâtisserie, roulette à pâte, friteuse (180 °C)

Préparation:
Tamisez la farine avec la cannelle, le sucre impalpable et le sel. Incorporez-y, en battant, les jaunes d'œufs et suffisamment de crème aigre pour obtenir une pâte souple, lisse et

assez consistante. Saupoudrez la table de travail de farine. Divisez la pâte en 2 ou 3 portions, et faites-en des cylindres d'environ 2 ½ cm d'épaisseur.
Découpez ces cylindres en morceaux de 2 ½ cm, posez-les sur un plat, et laissez-les reposer une demi-heure au réfrigérateur.
Formez des boules avec les morceaux de pâte et aplatissez-les au maximum.
Faites chauffer la friture.
Découpez une spirale dans chaque morceau de pâte à l'aide de la roulette. Commencez à ½ cm du bord et progressez vers le centre.
Avec le manche d'une cuillère, tissez un nid en levant un ruban de pâte sur deux. Laissez glisser le nid dans la friture. Faites-le bien cuire, puis retournez-le pour que les deux côtés cuisent uniformément. Saupoudrez ces «nids d'oiseau» de sucre impalpable.

Truffes au potiron
Une recette qui nous vient d'Israël. La préparation de ces savoureuses truffes est un jeu d'enfant.

Truffes au potiron

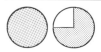

Préparation: 1 heure
Cuisson au four:
environ 45 minutes

Ingrédients:
*1 kg de potiron
sucre cristallisé
sucre impalpable
cacao ou
granulés de chocolat*

Principaux ustensiles de cuisine:
four (200 °C), presse-purée ou mixeur

Préparation:
Préchauffez le four.
Lavez et séchez le potiron. Glissez la grille au milieu du four, mettez-y le potiron et laissez-le cuire pendant 40 à 50 minutes.

Lorsque le potiron est bien cuit, épépinez-le, coupez-le en morceaux et passez ceux-ci au presse-purée ou au mixeur.
Pesez la purée de potiron et ajoutez-y un même poids de sucre cristallisé.
Faites chauffer cette purée, remuez bien et retirez la casserole de la source de chaleur dès que la préparation devient dorée et pâteuse.
Tournez dans la purée jusqu'à ce qu'elle soit tiède.

Prenez-en de petites portions et formez des boules avec 2 cuillerées à café. Déposez-les dans le sucre impalpable.
Roulez-les dans le sucre, modelez-les éventuellement si elles ne sont plus rondes, puis tournez-les dans le cacao ou les granulés de chocolat que vous aurez écrasés avec un rouleau à pâtisserie.

Termes culinaires

Aspic
Gelée claire et épicée à base de bouillon de viande ou de poisson, à laquelle on a déjà incorporé viande, légumes,... et prise dans le moule.

Bain-marie
Mode de cuisson consistant à mettre le récipient contenant les aliments à cuire dans un récipient plus grand rempli d'eau frémissante (95 °C). Ce procédé empêche les aliments de brûler en cours de cuisson.

Barder
Recouvrir d'une tranche de lard gras ou de plusieurs tranches de lard fumé une viande fragile pour éviter qu'elle ne se dessèche en cours de cuisson.

Blanchir
Blanchir un aliment, c'est le passer à l'eau bouillante. Cette opération doit être très rapide et ne pas entraîner de cuisson. Elle a pour but de donner plus de consistance à la viande et aux légumes.

Bouquet garni
Bouquet de fines herbes liées ou entourées de mousseline, composé de quelques branches de persil, une branche de thym ou une feuille de laurier et, éventuellement, des grains de poivre, du macis et des clous de girofle, qui sert à aromatiser potages, sauces et ragoût.

Braiser
Cuire des aliments à couvert dans une faible quantité de beurre ou un liquide de cuisson peu important.

Brider
Donner une certaine forme à une pièce de viande, de gibier ou de volaille nettoyée, à l'aide de fil.

Clarifier
Eclaircir un bouillon ou du beurre.

Court-bouillon
Liquide de cuisson à base d'épices et de légumes, additionné de vin, de beurre, de vinaigre et parfois de citron, servant à la préparation de poissons, de crustacés, de viandes ou de légumes.

Dessaler
Faire tremper dans du lait du poisson saumuré ou des légumes conservés au sel pour en extraire le sel.

Dressing
Sauce épicée qui se mélange à un mets.

Etuver
Faire cuire doucement dans un récipient fermé, à la vapeur, avec peu ou pas de liquide, un aliment ou un mets entièrement ou partiellement cuit, mais dont le goût n'est pas encore suffisamment prononcé.

Farce
Mélange de plusieurs ingrédients finement hachés servant à remplir l'intérieur de pièces de gibier, de volaille, de viande ou de poisson.

Fines herbes
Mélange d'herbes potagères fraîches finement hachées.

Flamber
Arroser un mets d'alcool, puis y mettre le feu pour faire évaporer l'alcool qui raffine la saveur du plat. Passer une volaille ou un gibier à la flamme pour faire brûler le duvet ou les poils.

Foncer
Garnir un moule de pâte.

Fond
Jus de cuisson réduit de viande, de poisson, de volaille ou de légumes servant à la préparation de sauces.

Fricassée
Viande blanche étuvée, accompagnée de purée de pommes de terre, de riz ou de macaronis, et de légumes.

Frire
Cuire légèrement un aliment dans du beurre ou d'autres matières grasses, dans une poêle non couverte, en veillant à ce que les aliments ne brunissent pas.

Glacer
Rendre un mets brillant en l'enduisant de beurre, de gelée ou de sirop de sucre.

Gratiner
Recouvrir un mets d'une croûte dorée en le parsemant de fromage, de chapelure ou de noisettes de beurre et en le passant au four ou sous le gril.

Griller
Passer des viandes tendres, du gibier, de la volaille, du poisson et des légumes sous le gril, dont la chaleur rayonnante permet aux aliments d'être saisis d'emblée.

Larder
Enfoncer des petits morceaux de lard gras dans une viande, un poisson, de façon à la rendre moelleuse.

Mariner
Faire tremper des viandes, du poisson ou des légumes dans un mélange de vin ou de vinaigre salé et épicé.

Mijoter
Laisser cuire un aliment à petit feu pendant une période prolongée.

Mitonner
Faire longuement cuire à feu doux dans de l'eau ou du bouillon un ingrédient qui doit cuire longtemps.

Paner
Couvrir de chapelure ou de mies de pain de la viande, du poisson ou des légumes, après les avoir passés dans de l'œuf battu.

Pâte à frire
Pâte très épaisse faite de farine, d'œufs, de beurre, de lait ou d'eau et de levure, dont on enrobe des petits morceaux de viande, de poisson, de légumes ou de fruits avant de les plonger dans la friture.

Pocher
Faire cuire lentement du poisson, des légumes, des œufs ou de la viande dans un bouillon frémissant.

Réduire
Laisser cuire à petits bouillons et à découvert de manière à provoquer l'évaporation du liquide, pour l'épaissir et le concentrer.

Revenir (faire)
Cuire un ingrédient à feu doux et à découvert dans du beurre ou une autre matière grasse, sans que cet ingrédient prenne trop de couleur.

Roux
Mélange de quantités égales de beurre et de farine servant à lier ou à épaissir potages et sauces.

Sauter
Faire dorer vivement un aliment dans une faible quantité de matière grasse en agitant constamment pour qu'il reste clair.

Poids et mesures

Pesez aussi minutieusement que possible tous les ingrédients d'une recette. Il existe divers instruments de mesure pour vous aider dans cette tâche, mais de simples ustensiles de cuisine peuvent également vous servir. Voici une table de référence des principaux poids et mesures.

	1 cuillerée à café rase	1 cuillerée à soupe rase en grammes	1 tasse rase
Beurre ou margarine	-	10	-
Cacao	1 ½	5	75
Café moulu	-	3	-
Cassonade	2	8	125
Cassonade blanche	2	7	105
Chapelure	-	6	90
Noix de coco en poudre	-	4	60
Confiture	-	20	-
Corinthes	-	10	120
Eau	-	17	150
Farine	-	6	80
Fécule de maïs	2	6	75
Fécule de pommes de terre	2	7	100
Flocons d'avoine	-	5	55
Gélatine (1 feuille)	2	-	-
Gélatine (en poudre)	1	4	-
Huile	-	12	-
Lait	-	15	145
Levure chimique	2	-	-
Raisins secs	-	10	120
Riz cru	-	15	120
Riz cuit	-	12	100
Sel	3	11	-
Semoule	-	9	110
Sirop	-	28	-
Sucre cristallisé	1 ½	10	115
Sucre impalpable		7	100

Température de four

Voici un tableau vous donnant les principales positions calorifiques pour un four électrique et un four à gaz à thermostat:

Four électrique	Four à gaz	
En degré Celsius	Thermostat à 8 pos.	
140°	1	Très tiède
160°	2	Tiède
180°	3	Tiède à chaud
200°	4	Modéré
220°	5	Chaud
240°	6	Très chaud
260°	7	Vif
280°	8	Très vif

Dans la plupart des cas, le four doit être préchauffé pendant au moins 10 minutes avant d'être employé. Si, lors de l'exécution d'une recette, vous remarquez que le temps de cuisson au four doit être plus long que celui indiqué, notez cette différence et appliquez-la pour les autres recettes du même ouvrage. Il est évident que les temps de cuisson ne peuvent jamais être donnés avec une précision rigoureuse, car ils dépendent de bon nombre de facteurs extérieurs, tels que la quantité d'aliments cuits en même temps, les matériaux des récipients de cuisson, la température ambiante, etc.
Vérifiez la cuisson d'un aliment 5 à 10 minutes avant la fin présumée de cette cuisson. Ouvrez et fermez délicatement le four pour éviter de trop fortes différences de température qui pourraient compromettre la réussite de la préparation.

Index